ENCONTRE SEU FOCO

ALCIR GUIMARÃES

Encontre seu foco
Copyright © 2022 by Alcir Guimarães
1ª edição: Outubro 2022
Direitos reservados desta edição: CDG Edições e Publicações
O conteúdo desta obra é de total responsabilidade do autor
e não reflete necessariamente a opinião da editora.

Autor:
Alcir Guimarães

Preparação:
Larissa Robbi Ribeiro

Revisão:
Rebeca Michelotti

Projeto gráfico:
Jéssica Wendy

Capa:
Dimitry Uziel

DADOS INTERNACIONAIS DE CATALOGAÇÃO NA PUBLICAÇÃO (CIP)

Guimarães, Alcir
　　Encontre seu foco : o poder do propósito para estruturar o seu negócio de sucesso / Alcir Guimarães. —
Porto Alegre : Citadel, 2022.
　　144 p. : il.

Bibliografia
ISBN 978-65-5047-191-0

1. Desenvolvimento profissional 2. Negócios I. Título

22-5885　　　　　　　　　　　　　　　　　CDD 650.14

Angélica Ilacqua - Bibliotecária - CRB-8/7057

Produção editorial e distribuição:

contato@citadel.com.br
www.citadel.com.br

ENCONTRE SEU FOCO

O PODER DO PROPÓSITO PARA ESTRUTURAR O SEU NEGÓCIO DE SUCESSO

ALCIR GUIMARÃES

2022

AGRADECIMENTOS | 11

APRESENTAÇÃO | 13

1

A sua empresa é a sua missão | 19

Missão Focus: a real importância da missão e do propósito | **29**

Manter o foco na sua missão é sempre a melhor estratégia | **39**

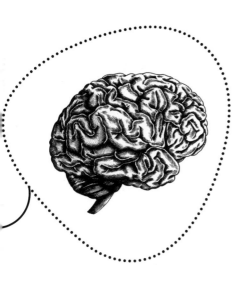

2

A mentalidade é a chave-mestra para o sucesso do seu negócio | 49

Os três passos para o crescimento contínuo | 58

Como enxergar diferente da manada | 60

Não confunda objetivos com propósito | 67

SUMÁRIO

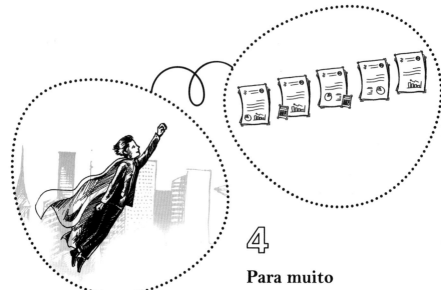

3

Dos três aos trezentos: como transformei meu negócio em uma superpotência em menos de uma década | 73

Tornando a sua grama verde de novo: o caminho para o crescimento exponencial | **80**

Volte sempre ao propósito para manter o sucesso do seu negócio | **92**

4

Para muito além de se apurar imposto | 97

A importância do propósito ligado a pessoas | **107**

O que nunca te contaram sobre ser um contador | **111**

A realidade de uma mente vitoriosa | **114**

Uma mente forte em Deus | **117**

5

O caminho de sucesso da sua empresa | 121

Seja sempre você mesmo | **122**

Lidere com temperança | **124**

Domine a constância
e seja sempre grato | **128**

Mantenha seu propósito
ligado a pessoas | **130**

CONCLUSÃO | 135

SOBRE O AUTOR | 141

Dedico esta obra ao meu pai, Alcir Guimarães (in memoriam), que me ensinou grande parte do que sei hoje e me deixou o legado da contabilidade.

AGRADECIMENTOS

Agradeço e honro a todos que me ajudaram a chegar até aqui, me dando todo o suporte para publicar este livro. Agradeço a minha família, em especial aos meus pais, Ângela e Alcir (in memoriam), pela criação absolutamente íntegra e de muitos princípios, e pelos valores cristãos e familiares que foram muito importantes para me estruturar como ser humano. Agradeço aos amigos, aos chefes que tive ao longo da minha vida, e a todos os profissionais que me ajudaram ativamente a ser um profissional e um ser humano melhor.

APRESENTAÇÃO

Provavelmente, quando alguém escuta a palavra contabilidade, a chance de haver aquela ligeira torcida de nariz ou de boca é grande. Até hoje, a contabilidade nunca assumiu o posto de profissão dos sonhos no Brasil. São poucas as pessoas que verdadeiramente resolveram abraçar essa carreira, ou já desejaram alguma vez que os filhos se tornassem contadores. Mas sabe por quê? Porque, na realidade, as pessoas, de modo geral, ainda não descobriram que a contabilidade serve de modelo para qualquer outro segmento, qualquer outro negócio, e atua diretamente em pontos cruciais não apenas da operação, mas na própria gestão do negócio para que ele seja bem-sucedido e próspero.

Felizmente, a contabilidade esteve presente em minha vida desde que me conheço por gente, e, contrariando as estatísticas, eu sempre quis ser contador, não apenas pelo fato de meu pai, o Sr. Alcir, ter sido contador e sócio do Sr. Edson em uma antiga e tradicional contabilidade do Rio de Janeiro – a J. Edson Coutinho Contabilidade –, mas por ter me apaixonado de verdade pela área desde o primeiro momento em que a conheci mais de perto. Com dezesseis anos de idade, fui trabalhar como office boy no escritório da J. Edson, e então passei a gostar muito de tudo o que via; adorava ver como cada processo funcionava na prática, e aprendia diariamente sobre todo aquele novo mundo contábil.

No entanto, o que eu não imaginava mesmo é que um dia eu seria empresário, afinal resolvi cursar Ciências Contábeis com o objetivo de exercer a contabilidade pura e simples. Eu não herdei a empresa do meu pai, pelo contrário, passei a sonhar com outro modelo de negócio para mim ao longo do tempo, mas fato é que vim de baixo, não tenho vergonha nenhuma de falar sobre isso, e usei e uso até hoje a contabilidade como ferramenta para estruturar toda a minha base de produtos e serviços. Foi por meio dela que estruturei a Focus, minha empresa, que em 2013 começou com três pessoas e hoje emprega mais de quatrocentos funcionários e está presente em oito estados do território nacional, figurando entre as principais redes de contabilidade para supermercados e restaurantes. É por meio da contabilidade que implemento novos negócios constantemente, tendo me tornado *expert* no assunto, ministrando cursos, treinamentos e palestras, e ainda realizando mentorias não apenas para profissionais do setor, mas também para empresários e empreendedores dos mais diversos perfis e segmentos.

Como passei de contador a contador-empresário, de múltiplos negócios, educador na área e mentor, é o que abordarei neste livro. Portanto, se você busca compreender como uma profissão aparentemente relegada e malcompreendida se tornou a chave para uma carreira de sucesso, que passou bem longe da falência pessoal, esta leitura é para você.

Você é contador e está cansado de se ver restrito e taxado como mero apurador de impostos, sentindo-se estagnado na área e com o potencial desperdiçado? Este livro é para você.

ENCONTRE SEU FOCO

Você é empreendedor e está começando um novo negócio, talvez até em um novo segmento, diferente do que você já atua, e está pensando por onde começar? Este livro é para você.

Você está estudando novas formas de aumentar a sua performance dentro do seu escopo profissional e deseja compreender que caminhos tomar, fugindo dos modelos ultrapassados que são despejados aos montes em cursos tradicionais? Então este livro também é para você!

Como legítimo entusiasta da contabilidade, em *Encontre seu foco: o poder do propósito para estruturar o seu negócio de sucesso,* compartilharei com você não apenas a minha trajetória profissional que desenvolvi ao longo dos últimos 25 anos, revelando como saltei de zero a dois mil clientes em menos de dez anos, mas contarei também como é possível transformar a sua vida e a sua carreira a partir do momento que você encontra o seu foco, mantendo-se firme no seu propósito e vivendo diariamente na intenção de construir a sua história por meio dele.

Nesta obra, você vai descobrir como enxergar que a sua empresa é, na realidade, a sua missão, e lhe serão apresentados diferentes cenários que levarão ao ponto estratégico e fundamental de qualquer negócio: o fator humano. Mostrarei como a mentalidade, assim como a fé, é a força motriz de toda a nossa vida e como, por meio dela, transformei todo o futuro do meu negócio. E sabe aquilo que nunca te contaram sobre ser contador? Vou expor a você cada detalhe ao longo deste livro, contando ainda como é possível realizar um verdadeiro resgate da nossa autoestima profissional para em seguida nos lançarmos em um negócio de milhões de reais.

Este é o meu propósito: mostrar a você como é possível transformar uma das profissões menos desejadas do país em uma das maiores inspirações do mundo empresarial. E aqui não restrinjo esse posto apenas à contabilidade, pois se neste momento você está sobrevivendo em uma profissão que ocupa as últimas posições no mundo dos negócios, tudo o que você verá nas próximas páginas deste livro também é para você. Eu lhe asseguro que, ao final desta leitura, você também encontrará o seu foco, mudando de vez a forma como você entende seu negócio, sua carreira e sua vida.

CAPÍTULO 1

A SUA EMPRESA É A SUA MISSÃO

Pouco mais de vinte anos antes de criar a Focus, ingressei na faculdade, mesmo tendo deixado de trabalhar com meu pai naquela época. Eu queria ter uma vida fora daquele ambiente, e a relação de pai e filho continuou, tanto que ele me ajudava com uma parte da mensalidade, e eu arcava com a diferença.

Segui o curso de Ciências Contábeis com muita dedicação, tanto que quando conheci o meu amigo Aloísio, que na época trabalhava no The Bank of New York Mellon, uma respeitada instituição financeira norte-americana presente no Brasil desde a década de 1980, ele me perguntou se eu não gostaria de entrar como estagiário na empresa. Eu estava com dezoito para dezenove anos, recém-chegado na faculdade, mas não dei espaço para a insegurança e aceitei a proposta.

Ter aceitado o desafio de ingressar numa multinacional foi uma decisão muito importante que tomei para a minha carreira. Que fase produtiva! Além disso, simplesmente foi a minha primeira experiência, que marcaria a minha maneira de pensar e agir como uma grande empresa. Na Mellon, consegui ter acesso ao funcionamento real de uma corporação robusta, pude ver como se dá a estruturação de cargos e salários, bem como a composição de uma empresa internacional de capitalização, além do *compliance* sobre os processos internos de uma empresa de grande porte. Enquanto estive lá, passei por três departamentos, sendo dois ligados à parte contábil, um a empresas e fundos nacionais e o outro a fundos internacionais. Também tive acesso à área operacional da Mellon, que era o suporte à bolsa de valores, o chamado *back office*, no mercado financeiro, na qual eu dava todo o suporte para a operação da empresa funcionar.

Toda essa vivência foi transformadora, e passei por ela com muito entusiasmo, porque eu conheci aquela empresa praticamente de ponta a ponta. Contudo, chegou um momento em que eu quis voltar para a contabilidade. Eu já estava atuando na parte dos fundos internacionais, os chamados fundos *offshore*, mas entrei num dilema, pois sempre gostei muito da contabilidade em si, aquela trivial, comercial, ao passo que a contabilidade do mercado financeiro é muito peculiar. Então foi assim, seguindo a minha voz interior me dizendo que eu deveria voltar para mais próximo da contabilidade, que encerrei o ciclo na Mellon. Estava com quase 25 anos de idade, e pronto para novas oportunidades. Dali, não demorou muito para que eu assumisse o cargo de analista na Sojitz Corporation, uma gigante japonesa voltada para o comércio exterior, *trade finance* e gerenciamento de riscos que opera com vários mercados. E sabe o que acontece cerca de um ano depois? Uma oportunidade de ouro! Com a saída de um dos gerentes da área que eu atuava, tenho a chance de apresentar minhas habilidades, e assim me torno o mais novo gerente de toda a operação contábil do Rio. Eu era o *report* principal, sendo responsável pela operação deles de oligais na subsidiária carioca.

Essa foi mais uma experiência marcante, que contribuiu imensamente na formação da minha carreira. Tudo o que eu havia conquistado na Mellon, onde havia aprendido a ser focado em metas, desenvolvimento da equipe, formação de time, agreguei aos novos ensinamentos que adquiri na Sojitz, os quais eram voltados para toda a parte processual, com foco em estrutura, disciplina e organização.

Nessa época, eu já estava desejando aumentar a família, pois meu sonho sempre foi ser pai, e me mantinha cada vez mais focado em crescer profissionalmente e prosperar na vida. Sempre tive muita fé e uma vida espiritual com Deus ativa, então acredito que meus caminhos todos sempre me levaram aos lu-

ALCIR GUIMARÃES

gares em que eu deveria estar para continuar seguindo o meu propósito. Tanto foi assim que não tardou a aparecer na minha vida, de maneira inesperada, a primeira rede de supermercados que viria a inaugurar a fase que foi divisora de águas na minha vida.

Com mais de quinze lojas espalhadas pelo estado do Rio de Janeiro, a rede de supermercados que passei a atender foi o meu primeiro contato com o setor em que eu viria a trabalhar na próxima década em diante, até me tornar dono de uma das maiores empresas de contabilidade do país, que atende centenas de clientes da rede varejista de supermercados.

Eu não fazia ideia de como ficaram me conhecendo, mas provavelmente foi por meio de uma conversa que tiveram com o meu pai, que era bem conhecido em Niterói, que essa rede de supermercados me procurou, e quando me encontrou fez uma proposta para que eu estruturasse uma contabilidade interna para eles. Na época, eu ainda estava na Sojitz, mas

ENCONTRE SEU FOCO

fato é que a contabilidade em si sempre foi minha praia, então logo de cara me animei com o convite.

Até então, eu nunca tinha sonhado em ter uma empresa contábil, então minhas aspirações se resumiam em ser funcionário interno de uma contabilidade. Mas ao enxergar uma nova possibilidade de fazer o que realmente gostava dentro da área, e ainda prestar serviços oferecendo ferramentas de gestão para empresários, achei a ideia bem interessante. Na ocasião, meu pai foi contra, e, se eu fosse por ele, nunca teria saído da Sojitz Corporation. Afinal, parecia loucura eu largar uma multinacional, com mais de sessenta anos de tradição no Brasil, para assumir uma rede de supermercados familiar do Rio de Janeiro.

Muitas vezes grandes oportunidades surgem de forma inesperada, e podem, em um primeiro momento, parecer que não são uma boa escolha, principalmente se estivermos em uma fase de estabilidade, com emprego garantido, e que não apresente grandes riscos. Contudo, quando nosso objetivo é crescer não só no âmbito profissional, mas também como pessoa, e principalmente viver com um propósito, é preciso encarar novos desafios.

Eu tinha uma escolha a fazer, então foi o que fiz. Resolvi abraçar aquela nova possibilidade de carreira, entendendo como um desafio muito legal, uma vez que aquela rede de supermercados já era bem estruturada financeiramente e dotada de uma boa visão de negócios. No entanto, não posso dizer que o início foi fácil, na realidade foi bastante difícil, pois, com cerca de três meses atuando naquela rede, cheguei a ser procurado pela Sojitz, recebendo ligação diretamente dos executivos do escritório central de Tóquio, que queriam que eu voltasse a trabalhar com eles, e a proposta era tentadora: estavam dispostos a praticamente dobrar meu salário, que já não era baixo para a minha idade naquela época. Com menos de trinta anos, cheguei a receber o equivalente a mais de dez salários-mínimos nos valores atuais. Ainda assim, não aceitei.

Pode ser que neste momento você também esteja me considerando um maluco por ter feito essa escolha, mas sabe por qual razão não aceitei aquela proposta? Simplesmente por uma questão de princípio. Eu já havia aceitado o projeto, então coloquei na minha cabeça que eu tentaria fazê-lo dar certo até esgotar todas as possibilidades que eu tivesse. Poderia dar errado? Poderia. Mas eu continuei, fiquei com aquela rede de supermercados, e juntos estruturamos um trabalho realmente muito bom, eficaz e que deu muito certo.

Cerca de três, quase quatro anos depois, quando tudo novamente estava naquela tranquilidade de um bom emprego estável, e ainda com a família formada, pois nessa época também havia realizado o meu grande sonho de ser pai, com a chegada do Mateus, meu filho mais velho, meu propósito mais uma vez se revelava diante de mim. Em um encontro informal com alguns amigos empresários do setor varejista, eis que surge a seguinte conversa:

– Escuta, Alcir, por que você não monta uma contabilidade para supermercados? Esse trabalho consultivo que você faz nessa rede é o que muitos precisam aqui fora.

Essa sugestão me fez voltar ao passado e me lembrar da época em que meu pai foi sócio de uma empresa de contabilidade. Uma das principais razões que me fazia ser contrário à ideia de abrir minha própria empresa de contabilidade era o fato de meu pai ter entrado em falência pessoal devido à maneira como lidava com o seu trabalho. Infelizmente, ele era uma pessoa que acumulava uma série de frustrações como contador, apesar de tecnicamente ser excelente. Contudo, por dentro, como ser humano, o Sr. Alcir não era realizado.

O meu pai teve a oportunidade de trabalhar nos Estados Unidos, na Varig, o que significava um salto gigantesco na carreira, e ele de fato merecia, pois era um profissional muito inteligente, muito avançado nos estudos, chegando a ter duas formações acadêmicas, o que naquele tempo era muita coisa mesmo. Mas ele não foi, e sabe por quê? Teve medo. Ele não foi porque teve medo de ficar longe da família. Depois que também tive filhos, até consegui entender alguns medos do meu próprio pai, mas ainda assim ele era um homem muito medroso. Naquela época que teve a chance de trabalhar no exterior, ele ainda era funcionário, mas ao receber uma proposta de sociedade do Sr. Edson, foi a desculpa que aguardava para ficar onde estava. A oferta? Cerca de 30% da empresa, e assim ficou como sócio minoritário daquele pequeno escritório de contabilidade pelos trinta anos seguintes de sua vida.

Passado aquele momento de *flashback*, voltei decidido: "Faz sentido! Por que não?". Contrariando mais uma vez o temor do meu pai, que também disse que "seria melhor" eu não embarcar nessa, pois ele já tinha vivido aquela vida de ser dono de contabilidade, eu aceitei o desafio.

Logo, comecei a dar os primeiros passos para montar um projeto que era muito próximo ao que eu já fazia, que consistia em um trabalho mais interno, e que consequentemente surtia mais efeito. E sabe o que aconteceu? Ao iniciar esse novo projeto de carreira, fui percebendo que do lado de fora da rede em que

eu atuava, porém ainda no mesmo segmento, muitas pessoas já conheciam meu nome. Mas o curioso é que elas acreditavam que eu já era um senhor, e não um jovem contador com então 30 anos de idade. Quando me dei conta, uma série de empresas já haviam me contratado e outras ainda me procuravam para adquirir meus serviços.

MISSÃO FOCUS: A REAL IMPORTÂNCIA DA MISSÃO E DO PROPÓSITO

Se você quer ver o seu negócio se transformar em uma verdadeira potência, tenha sempre em mente essas duas forças: propósito e missão. Há pessoas que podem até dizer que ambas são sinônimas, ou muito semelhantes em termos de significado, mas aqui quero deixar bem claro como enxergo as duas e por que na minha visão elas são essencialmente complementares.

Como disse anteriormente, sempre fui apaixonado pela contabilidade. Desse amor, nasceu a vontade de levar tudo o que aprendi a outras pessoas, de forma a ajudá-las a aprimorarem suas habilidades e potenciais e assim também crescerem e prosperarem em suas respectivas áreas. Quando percebi que era isso que me preenchia de verdade como ser humano, que alimentava não só minha mente, mas também meu espírito, entendi finalmente qual era o meu propósito e o que vim fazer neste mundo.

Veja, o propósito que temos não muda, pois ele está diretamente ligado ao que somos, à nossa natureza e essência. Então, quando a gente descobre o que nos move e não há o que nos faça parar, nos mantendo ligados de forma incansável àquilo que nos faz sentir vivos, prósperos e agraciados, estamos vivendo com e por meio do nosso propósito.

Agora, como cumprimos esse nosso propósito? Exatamente, cumprindo a nossa missão. Pode ser que até você começar a viver o seu verdadeiro propósito, você precise passar por muitas fases tal qual num jogo. Quem conhece Super Mario ou Donkey Kong sabe muito bem do que estou falando! Mas referências de *games* à parte, o curso da nossa vida de uma forma ou de outra irá nos fazer passar por essas muitas etapas para basicamente nos preparar para o que tivermos que enfrentar a fim de cumprirmos a nossa missão, ou missões, e assim vivermos a plenitude do nosso propósito.

Portanto, se você quer mesmo ter um negócio e prosperar na sua área, lembre-se de manter essas duas forças sempre ativadas na sua vida, e principalmente certifique-se de que esteja alinhado com o seu propósito, pois somente assim você conseguirá entender que a sua empresa é a sua missão.

Quando eu comecei a Focus em 2013, eu ainda dava aulas de MBA para pequenas turmas de contadores, aos sábados, o dia inteiro, mas a minha empresa começou a crescer tanto que, mesmo adorando ensinar, decidi parar de lecionar por um período e focar 1.000% para estruturar a Focus ainda

ENCONTRE SEU FOCO

mais para que continuasse dando certo. Comecei a realizar um trabalho realmente diferenciado nas empresas que passaram a ser minhas clientes para além do setor de supermercados. Então, no espaço de um ano após a abertura da empresa, o resultado foi esse: de três funcionários no início de sua operação, a Focus passou a ter quase cem funcionários. E à medida que ela foi crescendo, sabe o que fiz? Passei a montar minhas próprias turmas de alunos dentro da empresa, aliando a minha paixão pelo ensino e pelos estudos à formação da minha equipe por meio de treinamentos.

Antes de chegar aonde a Focus está hoje, o começo foi bastante modesto, e engana-se quem pensa que o tempo todo só foi glamour. Gente, presta atenção, quando criei a Focus, eu fazia desde abrir a porta da minha salinha até tirar o lixo, limpar o banheiro, fazer café, fechar balanço dos clientes.

ALCIR GUIMARÃES

Como muitos começos, ainda não havia toda uma estrutura nem recursos. Mas um ponto fundamental que quero ressaltar aqui é que eu já criei a Focus com um pensamento de grande empresa. As minhas experiências anteriores em multinacionais contribuíram para ampliar a minha visão sobre o ideal de uma empresa, então não fazia sentido abrir uma operação pensando pequeno, estando apegado a miudezas e agindo com mesquinhez com benefícios para funcionários, salários; na realidade, desde pequeno sempre fui assim. Eu sempre tive uma política de benefícios e salários aqui na Focus de empresa não pequena, não equiparando ao meu segmento, e sim sempre estando acima ou à frente dele.

Tratar o ser humano como ele deve ser tratado, ter uma visão muito clara da minha missão como empresa, da minha visão, dos meus princípios que vão balizar o que eu viesse a fazer. Viver os anos anteriores em grandes mercados corporativos me treinou para desenvolver muito além das minhas capacidades técnicas na área de formação que escolhi para a vida. Eu fui preparado para ser grande, para me tornar um grande gestor, mesmo não me considerando muito inteligente. Mas graças a Deus tive a oportunidade de trabalhar com grandes pessoas que me fizeram pensar grande assim como elas. Então, quando montei a Focus após o incentivo desses amigos do segmento, do ramo de varejo, de supermercados, eu percebi que realmente não existia uma contabilidade no Rio de Janeiro de fato forte, com o pensamento voltado para a gestão de pessoas especificamente no setor de supermercados.

Para você se tornar realmente diferenciado no seu segmento, o primeiro passo é oferecer de uma maneira totalmente nova aquilo que todo mundo já faz. Pode até parecer senso comum, mas analisa aqui comigo: se você já é empresário, ou está se preparando para iniciar o seu negócio, e este já pertence ao setor de comércio, serviços ou qualquer que seja, você vai se deparar com a chamada "concorrência". Então o que caberá a você fazer? Estudar o seu mercado, o seu produto ou serviço e agregar dentro de tudo isso um diferencial que destaque a sua marca das demais. "Ah, mas tudo já está inventado; é difícil inovar!" Se você se prender a pensamentos como esse, realmente será complicado, mas a minha principal dica aqui, que você deve guardar para a vida é: *preste atenção nas pessoas*. Elas sempre serão a resposta para a construção do seu sucesso.

ENCONTRE SEU FOCO

Toda a medida de sucesso que ainda não está balizada pelo nível de satisfação das pessoas precisa ser revista. Acredito tanto nisso que eu sempre apostei no treinamento não só dos meus funcionários como passei a preparar treinamentos também para as equipes dos meus clientes, mesmo no começo da Focus quando ainda não tinha quase nada de estrutura, e esse foi um dos maiores diferenciais que pude agregar ao meu negócio para que ele não se tornasse apenas mais uma empresa de contabilidade. E por falar em diferencial, se há um ponto que vale sempre ser ressaltado, esse é o "estudo".

Apesar de não me considerar um gênio, eu sempre fui muito estudioso, até demais, além de disciplinado, o que atribuo ao meu tempo de serviço militar. Eu sempre quero entender tudo que eu faço para poder fazer bem-feito e para fazer de uma vez só. Você quer fazer algo? Então grave esta máxima com você:

FAÇA BEM-FEITO
PARA FAZER UMA
ÚNICA VEZ, OU
PARA QUE NINGUÉM
CONSIGA FAZER IGUAL.

ENCONTRE SEU FOCO

Esta é uma frase que aprendi na época do quartel, e nunca mais esqueci, pois para preparar a estrutura a fim de derrubar o inimigo, você deve ser certeiro, portanto, fazendo de uma vez só e muito bem-feito para que ninguém te copie. Levei tão a sério esse ensinamento, que instalei isso dentro de mim e levei para todos os setores da minha vida.

MANTER O FOCO NA SUA MISSÃO É SEMPRE A MELHOR ESTRATÉGIA

Seja como empresários, seja como líderes, chefes de família, ou todos esses papéis juntos, o que realmente nos coloca na trilha de uma construção de vida e carreira bem-sucedida é ter uma *visão de estrategista*. Quanto mais determinado você for naquilo que você quer, e se dispuser a fazer tudo o que for preciso, mais perto estará de alcançar o seu objetivo.

No meu caso, posso dizer que sempre fui um tanto obcecado pela minha missão. Quando montei a Focus, eu não apenas tinha enxergado uma nova oportunidade de mercado como também a chance de trabalhar por uma causa, que era tratar o que considero serem dois grandes cânceres na área contábil: o primeiro relacionado à parte tributária, e o segundo, à falta de conhecimento financeiro da operação das empresas. Como já é sabido, todo câncer não tratado, ou maltratado, pode levar a óbito, então essas necessidades me fizeram debruçar sobre cada um deles para modificar esse cenário. Fui identificando que as pessoas não entendiam quase nada da área tributária, e hoje posso dizer que temos clientes que só entendem dessa área porque a Focus os ensinou como fazer. Foi assim que comecei a preparar até para os donos das redes que atendemos alguns materiais com orientações gerais de gestão, além do que era importante eles saberem do ponto de vista tributário. Esse foi o início do treinamento para clientes, e logo comecei a preparar a minha equipe para isso também, criando treinamentos tanto para os meus funcionários, como para os funcionários dos supermercados, sobre como lidar com a parte tributária.

Quando o assunto é contabilidade, todas as nuances de uma operação comercial que tenham impactos tributários precisam ser tratadas com cautela para não se tornarem um tumor em qualquer empresa. O outro aspecto é que, em uma empresa, compra-se muito, vende-se muito, paga-se muita despesa, mas há ainda muito empresário que não sabe qual é o seu lucro real, o que aqui se refere ao segundo tumor fatal. No início, tive muitos clientes que não sabiam de fato qual era o lucro da sua operação. Então, qual era a minha missão, que consequentemente espelhei para a Focus? Ajudar esses empresários a entender bem, ainda que não fossem tributaristas, da parte tributária; além disso, passei a montar as informações contábeis de forma que eles pudessem visualizar, tal qual numa radiografia, o quanto estavam faturando e o quanto estavam gastando, e com o que gastavam.

Como já citei, nunca pensei em me tornar empresário, mas a partir do momento que identifiquei que essa seria minha missão para viver o meu propósito, passei a alimentar o sonho de que a minha empresa fosse um leque de possibilidades para os meus clientes. Então foi assim que direcionei meus passos para atingir esse intuito. Primeiro, fomos trabalhar nos pontos focais, que são as partes tributária e financeira. Em seguida, estruturamos todos os processos administrativos. Por exemplo, o que eu mais observava era que muitos empresários não sabiam lidar com suas equipes, criar estratégias e, consequentemente, fazer seus negócios prosperarem. Então o que eu fiz? Comecei a criar um grupo empresarial dentro da Focus, com segmentos voltados para consultoria de recursos humanos, com implemento de cargos e salários, outro segmento para pesquisas de movimento organizacional, estruturação de missão, visão, valores, e passei a treinar meus funcionários sobre como se fazer uma boa contratação para aprimorar a área de recrutamento e seleção.

Devido à minha experiência no varejo em ver as múltiplas carências que existem, a Focus já nasceu com um leque de opções para suprir essas carências na parte contábil, tributária, financeira e de gestão de pessoas. Ela nunca foi apenas uma contabilidade, mas uma empresa com múltiplas possibilidades relacionadas à raiz do negócio contábil. Portanto, se a dificuldade que o cliente apresentasse fosse da parte tributária, fosse de gestão de pessoas, eu entrava oferecendo um treinamento para a equipe dele. No começo, os cursos eram organizados quase que de forma simultânea ao fechamento de um novo contrato, então eu corria para a Focus e já preparava a minha equipe para a demanda que tivesse que ser atendida em cada cliente. Mesmo que eu não tivesse

o serviço ainda, a minha cabeça já projetava como seria! Mas hoje, graças a Deus, todos os cursos já estão consolidados, prontos para atender os atuais e os futuros clientes sem hesitação.

Lembro como se fosse hoje quantas vezes cheguei a participar de reuniões e dizer:

– Gente, eu tenho o curso "De olho no imposto"!

– Mas que curso é esse? – perguntava o cliente, com ares de curiosidade.

– É sério, é o curso para os seus funcionários saberem o que está sendo comprado, o que está sendo vendido, se é tributado, se não é... – e então eu continuava explicando com entusiasmo tudo o que iríamos oferecer naquele curso.

Em seguida, quando saíamos da reunião, o pessoal que estava comigo da Focus imediatamente me questionava:

– Alcir, que curso é esse?

– Está aqui todinho na minha cabeça, ué! – já falava soltando um largo sorriso. – A gente só vai estruturar agora para poder treinar a equipe do cliente!

Abrir e gerir um novo negócio vai exigir uma constante sagacidade para atuar de maneira ágil e ousada. Precisamos ter a visão de querer conquistar, de vencer de fato, somente assim é possível arriscar e manter a confiança de que a nossa estratégia vai dar certo!

Muitas pessoas, às vezes, dedicam a vida inteira delas a algo, e por um tempo elas podem até caminhar com êxito. Porém, em dado momento, a construção de um sonho acaba se tornando um pesadelo, e junto desse cenário são perdidas as esperanças, a saúde e por vezes a própria vida. Mas sabe quando isso muda? Quando você se mantém firme no seu propósito.

Eu costumo dizer que podem se passar mais quarenta anos da minha vida, e todas as coisas podem mudar, contudo, o meu propósito de transformar a vida das pessoas para melhor por meio do conhecimento continuará sendo o mesmo. Essa ideia sempre esteve muito clara para mim, e a carrego como uma motivação em ajudar o máximo que eu puder no desenvolvimento de pessoas.

É muito bom, por exemplo, ver pessoas dentro da própria Focus sendo desenvolvidas, crescendo, e conto com muita alegria o caso das várias pessoas na minha empresa que entraram como estagiárias e hoje em dia ocupam cargos elevados. Hoje, posso contribuir ainda mais para o desenvolvimento tanto de funcionários quanto de clientes, afinal ter clareza

ENCONTRE SEU FOCO

sobre o meu propósito me fez encarar com mais facilidade e conduzir com mais leveza a minha missão.

Você vai passar pelas dificuldades que tiver que passar, porque faz parte do seu processo de fortalecimento e capacitação para o que tiver que encarar no mundo dos negócios. Mas será essa mesma travessia que o fará encontrar o seu foco, e logo tudo aquilo que antes não passava de uma ideia não muito definida na sua mente se tornará a resposta de qual missão você deve viver para cumprir o seu propósito. Essa resposta será tão absurdamente clara que você será capaz de falar sobre ela da maneira mais natural, forte e determinada, assim como estou compartilhando aqui e continuarei contando nos próximos capítulos.

TODAS AS COISAS

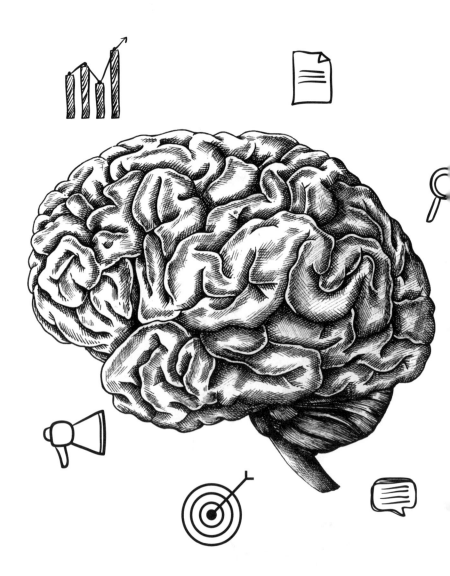

CAPÍTULO 2

A MENTALIDADE É A CHAVE-MESTRA PARA O SUCESSO DO SEU NEGÓCIO

Quando me perguntam como criei uma das maiores empresas de contabilidade do país em menos de uma década, sou direto em responder: nunca me acomodei. Na realidade, eu nunca me senti confortável onde estou, e isso não significa ser ingrato. Pelo contrário, quando você não se sente confortável onde está no momento, você continua sendo grato, e ao mesmo tempo vê que tem capacidade e condições de ir além do lugar que ocupa hoje. Como? Entendendo que o que não o deixa numa zona de conforto o faz buscar novas possibilidades e condições mais favoráveis numa escala evolutiva.

Se é fácil o tempo todo buscar não estar na zona de conforto? Claro que não. Por isso é preciso se preparar para quando você tiver que encarar vários momentos em que precisará refletir sobre os pontos que tem de oportunidade de melhoria, e que esses pontos podem levá-lo, sim, a uma evolução espiritual, pessoal e profissional saudável para que você tenha condições de crescer mais.

Todo empresário e empreendedor precisa muito ser desafiado para correr atrás do crescimento, e encarar com coragem e determinação os desafios que irá enfrentar para conquistar novos níveis dentro da área de atuação é um grande diferencial que muda a vida das pessoas. Criada essa consciência, qual se torna então o próximo passo? Perceber que você claramente não consegue chegar em níveis mais altos sozinho, ou não vê possibilidades de crescimento sem a atuação de profissionais ao seu lado. É nesse ponto que chega o momento de você buscar profissionais, ou até amigos, colegas empresários, mento-

ALCIR GUIMARÃES

res mesmo, pessoas que você tenha como referência, que irão ajudá-lo a ir além.

Observe que a partir do momento que você busca novas formas de crescimento por meio da orientação e formação de equipe com parceiros da área de negócios, você não entra numa zona de conforto. Como já sabemos, toda zona de conforto nos leva automaticamente à estagnação, e esta, muitas vezes, leva você a se engalfinhar consigo mesmo, pois sente vontade de parar de crescer ao mesmo tempo que se sente desconfortável por não estar crescendo.

PARAR DE CRESCER É COMO SE FOSSE UM FERMENTO DE EFEITO CONTRÁRIO, POIS O ACRÉSCIMO DELE EM SUA VIDA DIMINUIRÁ QUEM VOCÊ É.

Por vezes é difícil enxergarmos que entramos numa zona de conforto, principalmente quando a empresa apresenta saúde financeira e um crescimento relativamente aceitável ano a ano. Contudo, as situações que vivemos sempre nos ensinam, por isso vale o esforço de fazer uma leitura do que está acontecendo em determinado período. Por exemplo, em dado momento da Focus, entre os anos de 2016 e 2017, a empresa já estava relativamente grande, e na realidade havia crescido bem rápido de 2013 a 2016. Na época, ter uma equipe de quase cem colaboradores, sendo uma empresa de contabilidade, era algo muito grande, levando em consideração que cerca de 80% das empresas desse segmento no Brasil têm de oito a catorze funcionários.

Mas quando tudo parecia ir muito bem, o que aconteceu? Chega no mercado um concorrente. E esse concorrente me tirou o sossego e daquela situação em que só a minha empresa crescia. Em uma época em que a Focus seguia em franca expansão, enquanto a maioria das contabilidades continuava estagnada, o que eu menos esperava era me deparar com a concorrência. *E agora? Eu preciso fazer algo diferente...*, foi o pensamento que começou a ocupar a minha mente. Não estou dizendo que eu não tinha concorrência antes, claro que tinha; mas até então, ninguém havia me desafiado tanto, trazendo toda a amplitude de negócios dentro do meu segmento como eu propus fazer.

"Alcir, tira os proveitos desse concorrente até para que você não fique numa zona de conforto", disse na ocasião um amigo meu que é daqueles que nos faz ir além. Quando eu vi a chegada daquela concorrência, lógico que eu não gostei, e cheguei até a passar por um momento de negação: "Cara, mas eu não estou numa zona de conforto". Acontece que eu estava! Com quase quatro anos de empresa, eu já estava numa possível ou iminente zona de conforto.

Foi assim que aquele concorrente me fez querer crescer ainda mais, tanto que, de fato, eu estruturei minha área de equipe comercial, pois até então eu tinha apenas dois funcionários que já eram de áreas técnicas, porém estavam alocados como consultores comerciais. Ou seja, na prática, antes da estruturação, o funcionário que era da parte fiscal, tributária, era o mesmo que ia visitar alguns clientes para vender os serviços da Focus, ao passo que o concorrente já tinha uma equipe comercial exclusiva.

Diante disso, não perdi mais tempo: estudei tudo o que ele fazia nesse sentido e vi pelo meu DNA o que eu poderia fazer diferente e melhor. Primeiro, criei uma equipe comercial, e claro, o grande diferencial que eu tive da minha equipe comercial para a concorrente é que esta era composta apenas por vendedores, ao passo que eu formei consultores. Eu pessoalmente treinava o meu time. Contratei consultores, recrutei pessoal da minha parte técnica, e passava para eles todas as informações importantes que impactam a vida de um supermercadista: parte tributária, ICMS, PIS, COFINS etc. Esmiuçava tudo, tirava todas as dúvidas e instruía sobre o que eles deveriam falar na hora de cada negociação. Na sequência, convidava um colega lojista, que tinha supermercado, e dizia: "Venha para uma reunião comigo. Meu pessoal vai te ensinar como é que funcionam os três tributos que mais impactam a operação comercial em um supermercado". Eu utilizava todos os recursos possíveis para explicar como era o dia a dia numa operação comercial; passava vídeos no

YouTube sobre como se falava em detalhes a respeito de nossos serviços para gerar empatia com o cliente. E sabe por quê? Porque me especializei em supermercados, então quando meu pessoal abordava um novo cliente, este realmente se impressionava com o quanto a Focus conhecia a realidade dele no segmento de supermercados.

Então eu não criei vendedores. Eu criei consultores, que numa negociação sabiam exatamente de tudo do nosso negócio com excelência. Qual era o meu anseio para essa equipe? Simplesmente que, mesmo se o cliente não fechasse com a Focus, ele já seria impactado por um conhecimento que entregamos a ele e o qual ainda não tinha. Se fosse na parte trabalhista, o mesmo também acontecia: treinamento para conquistar pessoas na sua principal necessidade. Eu já treinava meus consultores para ter um bom entendimento do que era a parte trabalhista.

Tudo isso não foi uma inspiração que eu tive para sair da minha zona de conforto, mas sim uma sensibilidade que eu me permiti ter a uma possibilidade de melhoria não natural, mas, na realidade, forçada.

SEJA QUAL FOR O EMPREENDIMENTO, TODO EMPREENDEDOR NUNCA PODE ESTAR CONFORMADO COM A ZONO DE CONFORTO. ESTA É COMO SE FOSSE, INCLUSIVE, UMA ZONA DE CONFLITO, PORQUE É ANTAGÔNICO VOCÊ SER UM EMPREENDEDOR E ESTAR ACOMODADO.

OS TRÊS PASSOS PARA O CRESCIMENTO CONTÍNUO

Quando falamos em desenvolvimento contínuo, sempre destaco três passos que nos levam ao próximo nível no caminho para o sucesso do nosso negócio. O primeiro é você sempre *se desafiar*, e uma das formas de fazer isso consiste em nunca estar numa zona de conforto, ou seja, é preciso ver os pontos que você pode melhorar sempre, e essa análise pode ser feita tanto por meio da reflexão quanto pelo exercício da sensibilidade. Sabe qual é uma grande verdade que muitas pessoas não prestam atenção? A vida nos mostra muita coisa. As situações pelas quais passamos nos mostram muita coisa, o feedback das pessoas para além das palavras vai mostrar a você muita coisa. Então você precisa também exercer muito uma escuta sensível para compreender essa realidade.

O segundo ponto por sua vez está relacionado à capacidade de *entender o que as pessoas gostam*, e se você já tem uma equipe ou pensa em ter, saiba que, essencialmente, equipes gostam de pessoas que as desafiem. Eu sempre falo o seguinte: "A minha sinceridade com o outro é reflexo da minha sinceridade comigo mesmo". Na verdade, a pessoa que ouve minha sinceridade e acredita não está ouvindo uma sinceridade para ela mesma, pois trata-se de uma sinceridade que o Alcir fala para ele mesmo. O que eu quero dizer com isso? As pessoas vão ver em você esse desafio. As pessoas a que me refiro aqui são exatamente as que formam, ou formarão, a sua equipe. Elas verão em você o que é um desafio para elas, porque você não vai se acomodar, não vai viver numa zona de conforto, porque a partir dessa mentalidade sempre tentará enxergar a vida de forma diferente do que quase todo mundo vê. É aqui que você se destacará da manada. Dessa maneira, as pessoas que estarão com você não poderão fazer de outra forma, senão não haverá sentido trabalharem ao seu lado.

COMO ENXERGAR
DIFERENTE DA MANADA

Em se tratando de contabilidade, a maioria dos escritórios quase sempre somente apura os impostos, mas no caso da Focus, desde o primeiro momento, sempre que fechamos os impostos de um cliente, analisamos o quanto essa conta de fato impactou na vida dele. Além disso, como eu faço uma análise para melhorar essa realidade para ele? Será que houve uma compra malfeita? Por quê? Em casos como esse, diversas vezes descobrimos que os clientes realizaram operações que aumentaram seus impostos, e de modo geral empresas de contabilidade muitas vezes alegam que esse aumento é natural, mas no caso da minha empresa, essa resposta pronta não é uma opção. Sempre tentamos entender como esse cliente está comprando, pois a forma como ele compra suas mercadorias, se dentro ou fora do Estado, ou se por meio de empresas que possuem benefícios tributários, vai impactar diretamente o ICMS dele. Mas será que ele como empresário sabe disso? Não, na maioria das vezes não sabe, e é nessa hora que a minha equipe, a qual preparei para saber explicar isso a ele, enxerga de modo diferente da manada. Assim, não só explicamos ao cliente sobre como ele chegou nos impostos que chegou como explicamos como ele pode melhorar essa conta.

Para que a sua visão passe a ser diferente da maioria, é preciso enxergar além da superfície. Você entende a operação, o funcionamento e as necessidades do seu cliente? Caso você seja um contador, as negociações pelas quais seu cliente passa estão com informações tributárias confiáveis? Além de você e do seu time ter que entender tudo sobre seu cliente, você precisa passar de forma clara todas as informações que o beneficiem. É uma relação de aprendizado e conquista de confiança e credibilidade.

ENCONTRE SEU FOCO

Para exemplificar o que estou dizendo, trago aqui uma abordagem do varejo de negociação, chamado "dúzia de 13". O que é a dúzia de 13? Suponha que o fornecedor José chega para você e fala: "Eu te vendo esses; eu não consigo fazer o preço de R$ 1 para você, mas eu vou te vender por R$1,10 as 13. Mas depois eu vou te dar uma mercadoria dessa bonificada". Essa é a chamada bonificação comercial, porém quando ele dá a você uma mercadoria bonificada de forma normal, naquela primeira nota fiscal com as 13, ela vem com o chamado "crédito do imposto", no qual eu vou ter o débito depois na venda. Acontece que quando o fornecedor manda para você essa única mercadoria bonificada, a bonificação tem um benefício tributário, ou seja, isso não tem imposto. Esse fornecedor quando vende para você, não tem imposto, então quando você compra de forma normal, você tem o chamado crédito em imposto, mas quando você recebe de forma bonificada, você não tem isso. Dessa forma, na hora que você vender essa mercadoria, terá que assumir o imposto completo, diferente de quando você comprou de forma normal. Isso é uma jogada tributária muito grande, e que certamente o diferencia dos demais profissionais da área.

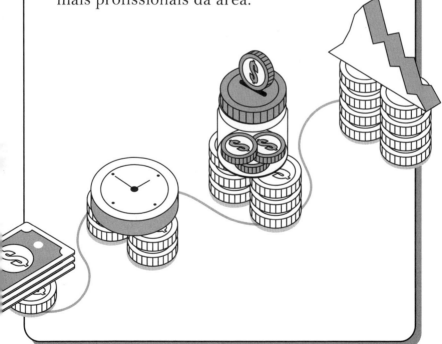

Já o terceiro e último ponto reside na *clareza quanto ao seu propósito*. Aquilo que você acredita, aquilo que de fato você vive e faz de tudo para seguir deve estar presente em tudo o que acabei de explicar nos outros dois pontos. Portanto, tenha uma conversa consigo mesmo e se questione:

1. Qual o meu propósito?

2. O que eu faço bem?

3. Como eu consigo ajudar pessoas naquilo que eu faço?

4. O que eu faço de diferente em relação aos outros?

5. Como eu faço a diferença na vida das pessoas?

6. Por que eu faço isso de forma diferente dos demais?

ALCIR GUIMARÃES

O principal problema de muitos empresários é que eles não entendem qual é o seu propósito. Com isso, não encontram o seu foco e acabam entrando na zona de conforto. Logo, as pessoas em seu entorno verão essa falta de propósito, inclusive a sua equipe, que percebe se o seu líder tem ou não um propósito definido. Agora eu te pergunto? Qual grupo de pessoas produzirá mais, as regidas por um líder com foco e clareza de propósito, ou por um que não sabe o porquê de fazer o que faz, visando apenas ao faturamento no final do mês?

QUANDO VOCÊ TEM A CONVICÇÃO DE QUE ESTÁ CUMPRINDO DE VERDADE UM PROPÓSITO, ESSA CLAREZA VAI FAZER COM QUE VOCÊ NUNCA PARE DE BUSCAR O CRESCIMENTO.

Muitos podem até acreditar que seu propósito de vida é realmente se tornar uma grande referência, mas acredito que essa expectativa seja mais uma consequência do seu processo de crescimento pessoal e profissional. Já quanto ao meu propósito, por exemplo, tenho convicção de que está associado a fazer aquilo que eu faço da melhor maneira possível, porque sei que eu influenciarei a vida de pessoas, vou agregar algo à vida delas. E o fato de se tornar rico e de crescer constantemente será uma boa consequência, um bom troféu por cumprir bem o seu propósito.

NÃO CONFUNDA OBJETIVOS COM PROPÓSITO

Uma coisa é certa: quando as pessoas começarem a de fato girar as chaves de suas mentes e passarem a pensar de modo diferente, enfim perceberão que nada do que precisam para suas vidas serem repletas de significado e com um propósito bem definido está do lado de fora, mas sim do lado de dentro delas, elas obterão não só sucesso em seus negócios e carreira, mas em todas as áreas de suas vidas.

Há quem ainda acredite que propósito é algo que às vezes é esquecido, e para aqueles então que volta e meia ficam perdidos pelo caminho ao serem levados pelos reveses da vida, pode haver ainda um sentimento de dúvida quanto ao seu verdadeiro propósito, fazendo com que muitas vezes se esforcem para lembrar o que de fato vieram a esse mundo para fazer. Pode ser que algumas pessoas pensem que, para se "lembrarem" do seu propósito, precisem anotá-lo em algum lugar, e olhar para ele todo dia, pois ao quererem muita coisa ao mesmo tempo, como, por exemplo, uma vida boa, uma família feliz, prosperidade, sintam dificuldade em focar esse propósito.

Mas sabe o que acontece? Na realidade, as pessoas confundem objetivo com propósito. Falando em objetivos, alguns dos meus são bem parecidos com meu propósito, ao passo que outros não. Por exemplo, eu sempre tive o objetivo de ter visão, e isso tem muito a ver com o que eu quero para a minha empresa, dentro do contexto de sua missão, visão e valores. Já o meu propósito – que apesar de

ALCIR GUIMARÃES

ser uma palavra muito comercializada hoje em dia é fundamental para a nossa vida, e que ainda poderia ser referida também como *chamado* – sempre foi ensinar as pessoas para ajudá-las a se desenvolver. Essa é uma verdade tão incontestável para mim que, desde meus anos iniciais na igreja, dava aula na escola dominical e vivia envolvido em missões para ser voluntário em projetos sociais.

ENCONTRE SEU FOCO

Para mim, tudo o que é importante na minha vida sempre foi e continua sendo ligado a ajudar pessoas. Na escola dominical, por exemplo, a minha intenção era preparar alunos para além do mero aprendizado sobre as questões bíblicas, pois na minha visão eles precisavam saber interpretar em suas vidas o que estavam estudando nas Sagradas Escrituras. Desde essa época, eu já havia assumido o papel de ser uma referência na minha igreja, me tornando, mesmo ainda bem jovem, um mentor reconhecido quando o assunto era escola dominical, pois já abordava a prática do ensino bíblico com uma visão além do que se praticava até então.

O tempo passou, fui evoluindo, me tornei contador, pai, empresário, educador e mentor, mantendo sempre a clareza de quais eram os meus objetivos, pois eles me nortearam rumo à conquista do meu propósito. E sabe como não confundi os dois? Basicamente, entendendo que para se chegar ao que de mais essencial existe para mim, que é transformar a vida das pessoas por meio do aprendizado, eu precisaria sempre cumprir os objetivos que tracei ao longo da minha trajetória, como ter a visão, o foco, a disciplina, o autocontrole, entre outros. Durante esse processo, cada experiência vivida foi validando essa realidade em que sou um agente que colabora para a transformação da vida das pessoas ao meu redor, logo, o propósito se tornou tão claro que nunca mais foi possível esquecê-lo ou confundi-lo com qualquer outro interesse que eu tivesse na vida.

Tenho certeza de que você, assim como eu, deve ter múltiplos interesses e vontades nessa vida também, mas busque observar o que é meta, ou seja, objetivo – para que você possa alcançar algo isolado, imediato e que te fará bem momentaneamente, ou mesmo que te leve a sonhos maiores e duradouros –, daquilo que você viverá no seu dia a dia incansavelmente tornando a sua vida plena de sentido. Ao se conscientizar acerca disso, no final das contas você verá que todos os seus objetivos levarão você direto ao seu propósito.

CAPÍTULO 3

DOS TRÊS AOS TREZENTOS: COMO TRANSFORMEI MEU NEGÓCIO EM UMA SUPERPOTÊNCIA EM MENOS DE UMA DÉCADA

Ter saído da zona de conforto, na qual eu estava começando a entrar logo após o rápido crescimento da Focus nos primeiros dois anos, não só me permitiu aprimorar a estratégia comercial da minha empresa como também me fez voltar a atenção para aquilo que é primordial para a saúde de qualquer negócio: a qualidade do seu fator humano.

ENCONTRE SEU FOCO

Naquele mesmo ano de 2016, em que fui alertado sobre o surgimento da concorrência mais direta ao meu negócio, além de ter aperfeiçoado o meu time, resolvi contratar um consultor especializado em desenvolvimento humano, o Luís Mozzato. Eu ainda estava em São Gonçalo, e havia chegado num ponto que sentia uma grande necessidade de crescer e evoluir, mas sem saber exatamente como alcançar isso, e, o pior, comecei a perceber que estava forçando a barra comigo mesmo e minha equipe. Quando entendi que eu não conseguiria fazer esse processo sozinho, porque na realidade os maiores resultados nunca são alcançados quando estamos isolados, o Mozzato chegou, e foi uma das atitudes mais acertadas que pude fazer por mim enquan-

ALCIR GUIMARÃES

to líder e pela minha empresa, para que ela se tornasse uma verdadeira potência. Foi ele quem, após uma análise do andamento da Focus e da minha performance, disse literalmente nessas palavras: "Alcir, você tem duas possibilidades: ou você enfarta, ou você enfarta os seus gestores. Perceba, você está sendo grosseiro com todos eles. Está tratando-os sem tato nenhum; eles não são animais que por um grito você acha que vai corrigir. Aliás, nem um animal age assim". Quando ouvi aquilo, eu caí em mim: "Eu estou errando muito com relação a isso, Mozzato; me ajuda, não sei como agir".

MUITAS VEZES, QUANDO ERRAMOS, CUSTAMOS A ADMITIR E, PRINCIPALMENTE, A ENCARAR A NOSSA FALHA. MAS A ACEITAÇÃO DESSE FATO É A ÚNICA MANEIRA DE REALMENTE PASSARMOS POR UM PROCESSO DE MUDANÇA NECESSÁRIO PARA A NOSSA EVOLUÇÃO.

No caso da Focus, eu já havia trabalhado os aspectos técnicos e as estratégias de venda para alavancar o negócio, mas o outro nível só chegaria de fato em nossa história quando entrei no processo de desenvolvimento por meio do *autoconhecimento*.

ENCONTRE SEU FOCO

O autoconhecimento não deve ser encarado como uma questão de gosto pessoal. Se você é empresário e não está entendendo por que o seu crescimento está custando a chegar, pare e analise se você sabe quem é você de verdade, se tem noção de quais são seus *gaps*, ou seja, aquilo que você precisa ajustar nas suas atitudes e no modo de encarar as coisas, se conhece o que você já faz e desenvolve bem. Esse processo também deve se estender à sua equipe. "Como é que está a sua equipe?". Esta foi a mesma pergunta que meu consultor me fez no início do processo de mudança, e dali em diante iniciamos um trabalho de desenvolvimento pessoal muito grande, começando primeiro por mim, e, no segundo momento, passando a ser realizado com a minha equipe de gestão, e em seguida com o meu time de liderança.

QUANDO VOCÊ ENTENDER QUE PARA REALMENTE SAIR DO PONTO A PARA CHEGAR AO PONTO B É PRECISO INVESTIR EM TRANSFORMAÇÃO, VOCÊ TERÁ ENFIM A RESPOSTA DO SUCESSO EM SUAS MÃOS.

Quando você assume a responsabilidade por aquilo que precisa fazer enquanto empreendedor, líder e dono do seu negócio, não há como não sair com uma visão reajustada, bem como o pensamento estruturado para o que de fato levará você para o próximo nível. O resultado de todo o esforço empregado para a mudança no que precisa ser melhorado será o desenvolvimento de novas habilidades que possivelmente você nem se dava conta de que tinha, como uma percepção mais aguçada, uma mente aberta, a capacidade de ouvir, e tudo isso lhe renderá muitos *insights* e clareza de visão. Consequentemente, haverá um funcionamento muito mais eficaz em sua empresa tanto na sua relação com os seus funcionários, ou liderados, quanto com seus clientes.

TORNANDO A SUA GRAMA VERDE DE NOVO: O CAMINHO PARA O CRESCIMENTO EXPONENCIAL

Provavelmente você já conhece a popular história da grama verde do vizinho. A compreensão que nós

ALCIR GUIMARÃES

temos sobre essa expressão, que se refere ao fato de sempre estarmos mais prestando atenção no que o outro tem em vez de cuidarmos e valorizarmos aquilo que é nosso, está na realidade associado ao momento pelo qual passamos. Obviamente, quando não estamos tão bem, a nossa grama não está tão verde, ao passo que o jardim do lado saltará aos olhos. Contudo, o estado de grama verde é um reflexo da constância de querer fazê-la estar verde, e

observe que cada grama irá enfrentar o verão, a falta de água, e nessas horas de crise não estará tão verde. Note também que haverá momentos que a sua própria grama será mais verde aos olhos do seu vizinho. Esse é o ciclo natural da vida e assim também acontece no mundo dos negócios, pois a realidade deste último é a realidade da própria vida.

Analisando um pouco mais, não é difícil vermos nos dias de hoje como as pessoas estão assoberbadas com as suas tarefas. Facilmente encontramos aquele profissional que passa em média de 12 a 16 horas trabalhando, não dando um tempo para si mesmo, chegando a um ponto em que ele não consegue ter espaço para pensar. Por essa razão, cuidar da saúde como um todo, tanto em seu aspecto físico, mental, emocional e espiritual, reservando espaços no seu dia a dia para organizar as suas ideias, o fará entrar num ciclo de produtividade. Quanto mais produtivo, mais distante do pessimismo você estará, o que o fará enxergar os aspectos da vida por outro viés, mais direcionado a conquistas do que a fracassos, e, portanto, com mais capacidade de prestar atenção na própria grama.

VOCÊ SÓ REPARA NA GRAMA VERDE DO VIZINHO QUANDO A SUA PRÓPRIA GRAMA NÃO ESTÁ VERDE.

Como então cuidar da sua grama para que ela fique sempre verde, ou seja, para que a atenção seja voltada para seu desenvolvimento pessoal e o consequente crescimento do seu negócio? Primeiramente, é preciso que você siga na constância do propósito, entendendo que estar motivado é essencial. Por isso, muitas vezes o estar animado será na realidade uma ferramenta para o cumprimento do seu propósito e não um estado emocional.

Se alguém lhe disse que é possível estar contente o tempo todo, desconfie, afinal não existe essa realidade que retrata pessoas de sucesso estando bem em 100% do seu tempo. Seria uma grande ingenuidade acreditar que o empresário e sua equipe, de forma geral, estarão nos sete dias da semana com total empolgação e criatividade a toda hora.

Certamente, na maioria dos dias nós procuramos nos manter empolgados pelo propósito que cumprimos. Mas há momentos em que a tensão surge, pois faz parte da realidade do ser humano. Não há necessidade de se iludir ou, na verdade, de se martirizar por achar que as pessoas de sucesso estão empolgadas a todo instante. Portanto, cultivar cada vez mais momentos para elevar a motivação das pessoas fará com que ninguém as segure! Proatividade, criatividade e alta capacidade de realização serão resultados naturais desse investimento.

HAVERÁ MOMENTOS EM QUE ESTAR ANIMADO SERÁ, NA REALIDADE, UMA FERRAMENTA DE CUMPRIMENTO DE UM PROPÓSITO.

ALCIR GUIMARÃES

◉ ◉ ◉

Ter saído dos três para os trezentos funcionários foi um processo contínuo de revitalização da minha própria grama por meio da motivação contínua de toda a minha empresa, garantindo qualidade nas relações em toda a cadeia de serviços na qual atuamos. E à medida que o número de clientes ia aumentando, ano após ano, a única maneira de crescer e manter o ritmo ascendente do negócio era investindo no viés humano a partir de fatores essenciais, como *visão estratégica*, desenvolvimento e aperfeiçoamento de *soft skills* e inovação de *técnicas relacionais*. Tudo isso sendo trabalhado de maneira constante.

Se você também busca prosperar no seu negócio, ter uma visão clara e objetiva dele, e que não seja engessada, favoreça a construção de uma base bem fundamentada e estruturada, o que permite a todo empresário criar outros negócios. A Focus começou com uma base de contabilidade muito bem-feita e, graças a essa base, foi criando não só outros departamentos para melhorar ainda mais o que já fazia, como também passou a criar outras empresas que usufruíssem desse bom trabalho da contabilidade.

Agora, sabe como essa visão, que é estratégica, é mantida? Por meio da *autoanálise* contínua. Essa tática seguramente nos permite avaliar o que dá ou não certo, nos faz corrigir processos e aprimorar o que já temos de melhor, e o resultado não será outro senão o crescimento expressivo da empresa.

Além desse processo de autopercepção, que tanto o empresário quanto a empresa devem ter, a *visão estratégica* do negócio abriga outras noções, como a *visão empreendedora*, a *visão de mundo* e a *visão do outro*. As três, que formam a chamada *cosmovisão*, são fundamentais, porque você não presta serviço, não atende, nem entrega um produto para si mesmo; você entrega para o outro. Portanto, você só consegue atender a expectativa do outro se o que ele fala e pensa é importante para você. Nesse sentido, a sua visão estratégica já passa a se tornar aguçada, pois você começa a procurar fazer algo diferente para se destacar em sua área de atuação.

Sair dos três para alcançar os trezentos funcionários também exigiu a disciplina de focar as grandes empresas, e sabe o que todas têm em comum? O viés humano muito forte em suas culturas. Quer ver um exemplo? Basta olhar o que o Bill Gates tem feito nesses tempos de pandemia. Ele foi o cara que mais investiu no combate à Covid-19 no mundo inteiro, e ele não fez isso porque tem dinheiro. Ele tem dinheiro porque ele faz isso. É diferente.

Manter o *viés humano* como prioridade está intimamente associado ao *fazer diferente*, o qual parte do princípio de se *pensar diferente*, e é isso que tenho feito como líder e empresário desde sempre. Quando alguém me fala algo que soe como verdade absoluta, já vou logo tratando de encontrar uma alternativa, pois se todo mundo pensa assim, é sinal de que é possível pensar de outra forma, e consequentemente não fazer igual ao restante da manada.

Resumindo, pensar diferente e não fazer igual a todo mundo significa sair do básico! Pensando nisso, consegui finalmente reconhecer a necessidade de desenvolver e aperfeiçoar as habilidades comportamentais relacionadas à maneira como os profissionais da minha empresa lidavam uns com os outros e consigo mesmos em diferentes situações, ou seja,

ENCONTRE SEU FOCO

como usavam as *soft skills*. Foi a partir disso que estabeleci a mentoria da Focus, que anualmente faço com algumas pessoas, e lanço a seguinte pergunta logo no início do ano: "O que você gostaria de conquistar neste ano?". É nesse momento que conduzo meu mentoreado em direção à conquista desejada, e já deixo claro que não estou ali na função de dono da empresa que promete algo, mas sim como o Alcir, que busca formar um ser humano melhor, tanto no âmbito profissional como pessoal, afinal, ao tratar os *gaps* que temos na vida pessoal, vivemos também como o melhor profissional que podemos ser.

Não à toa, o aperfeiçoamento do fator humano tem sido cada vez mais necessário e urgente. Observe quão louca pode soar esta afirmação: dar carinho, atenção e dignidade às pessoas é algo inovador nos dias de hoje. E por que isso ocorre? Porque as pessoas esquecem o essencial e acabam ficando no automatismo. Realmente é de se espantar chegarmos ao ponto de pensar que é inovador você querer dar ao ser humano o que ele merece receber naturalmente. Não é uma questão de querer ser bonzinho, mas sim de ter um princípio, de querer de verdade enxergar que o ser humano merece ser tratado com valor, além de ser  merecedor dos sonhos que cultiva, vendo a si próprio como capaz de cumprir o que for necessário para alcançá-los.

Por fim, a Focus não se tornou o que é hoje, uma das maiores redes de contabilidade do país, por ser composta de profissionais muito bons tecnicamente, mas por ter um time que sabe se vender e se expressar de forma que a pessoa compre. Por isso, ter uma equipe hábil e bem forte em *técnicas relacionais* faz toda a diferença no resultado de uma empresa. Manter a qualidade nessa prática é um dos maiores desafios que eu tenho diariamente. A cada dia busco fazer com que a minha equipe acredite em mim, no que faço e no que a Focus é.

VOLTE SEMPRE AO PROPÓSITO PARA MANTER O SUCESSO DO SEU NEGÓCIO

Se você também almeja prosperar no seu negócio e chegar a ter centenas de funcionários nos próximos anos, nunca deixe de lado o seu propósito, afinal é ele que sempre moverá as pessoas para a realização de tudo aquilo que for necessário para transformar seus resultados.

No fundo, ninguém gosta de "fazer por fazer", e numa empresa, ter propósito é ter uma razão para funcionar, o que certamente define a marca e a cultura organizacional, resumindo os valores históricos, éticos, emocionais e práticos da empresa. Essa é a maneira mais coerente para se buscar cada melhoria, como acabei de compartilhar neste capítulo, que ditará o diferencial da sua entrega como empresário e líder de uma equipe.

Assim como muito bem preconizou Simon Sinek, líderes podem inspirar cooperação, confiança e mudança mediante o propósito. Ao definir e comunicar seu diferencial, empresas podem tomar decisões mais acertadas e manter sua relevância.

AS PESSOAS NÃO COMPRAM O QUE VOCÊ FAZ, MAS O PORQUÊ DE VOCÊ FAZÊ-LO.

ENCONTRE SEU FOCO

Essa afirmação de Simon explica que esse motivo é a mensagem mais importante que uma empresa pode passar e que inspira outras pessoas a se moverem. Além disso, pode estar perfeitamente alinhada com a geração de receita, pois ambos não são excludentes. Sua teoria é de que comunicar o propósito ativa uma área do cérebro ligada a decisões e influencia o comportamento e, como resultado, podemos citar alguns benefícios:

>> 90% das pessoas que trabalham em uma empresa com propósito dizem se sentir mais motivadas.
>> Nos últimos anos, empresas orientadas por propósito tiveram crescimento de 85%, segundo um estudo da Harvard Business School. Por sua vez, empresas sem um propósito definido reportaram queda no crescimento.
>> Conclui-se, ainda nesta pesquisa da HBS, que 77% dos entrevistados acreditam que cultura organizacional é tão ou mais importante do que salário e benefícios.

ALCIR GUIMARÃES

Portanto, mantenha seu propósito como guia para novas ideias e decisões para dentro da sua empresa, mantendo a uniformidade de processos e incentivando a inovação. E uma vez que você entender e definir seu propósito, esteja preparado para colocá-lo em prática, com disciplina e constância, pois se as pessoas ouvirem uma coisa e verem outra acontecendo, a confiança estará ameaçada.

Essa é a resposta para o crescimento exponencial de toda empresa: fazer com que as pessoas trabalhem dedicando sua mente e coração, desencadeando uma entrega com mais qualidade, e consequentemente atraindo mais clientes para não só consumirem como apoiarem suas soluções empresariais.

CAPÍTULO 4

PARA MUITO ALÉM DE SE APURAR IMPOSTO

Logo no início deste livro, compartilhei a informação de que a contabilidade nunca assumiu a posição de profissão dos sonhos no nosso país, e um dos principais fatores que contribuem para manter a profissão entre as preteridas do mercado de trabalho é que, de forma geral, a contabilidade no Brasil sempre foi muito ultrapassada.

ENCONTRE SEU FOCO

As empresas de contabilidade sempre se prestaram a fazer um serviço mais básico, seguindo a cartilha tradicional que dita que o contador apure impostos e indique a seus clientes como eles podem pagar menos taxas. Isso tudo faz parte, claro, mas sempre acreditei que a contabilidade também pode ser o caminho para fazer o profissional do ramo ir muito mais além, proporcionando uma estrutura de processos que contribuem para uma vida empresarial com mais sentido.

Mas, afinal, o que aconteceu para que um dos setores mais promissores do mundo dos negócios ficasse relegado a essa posição desfavorável? Para entendermos melhor, voltemos ao contexto histórico da contabilidade no país. Em 2008, quando o Brasil promulgou a Lei nº 11.638 e a Lei nº 11.941, que é a conversão da MP449 de 2000, tinha-se a ideia de que esse movimento havia sido chamado "adoção às normas internacionais de contabilidade". Nesse período, eu inclusive já estava formado, pois havia me formado novo, fazia uma pós-graduação na área de contabilidade internacional e falava com os pais da contabilidade contemporânea no Brasil, Eliseu Martins, Sérgio de Iudicibus, Ariovaldo e Marion, que a contabilidade no nosso país iria mudar, pois com essa adoção às normas internacionais de contabilidade o mundo estava passando por uma revolução. Os Estados Unidos estavam perdendo força nesse cenário. Então havia o Brasil com o chamado BRQF, que é a contabilidade brasileira; os Estados Unidos, com o ISQF, ou seja, a contabilidade americana; e havia o IFRS, que é a contabilidade principalmente do bloco europeu, mas que seria adotado em todo mundo. E a contabilidade internacional IFRS trazia o entendimento que dá essência sob a forma, ou seja, não seria mais aquela coisa tão quadrada. Deixaríamos de ser Exatas, inclusive, e passaríamos a ser uma área de Humanas.

Então, a contabilidade propriamente dita, que vem apenas a ser fiscal (tributos), passaria a ser mais societária. O que isso quer dizer? Basicamente, que haveria o gerenciamento dos negócios, de fato, na parte financeira. "A contabilidade no Brasil vai mudar de cenário!", lembro de na época ter falado todo entusiasmado. Mas isso não aconteceu. Não foi o que eu esperava, na verdade não foi nem perto do que eu esperava. Quando o governo brasileiro da época assinou a adoção das normas internacionais numa aparente tentativa de fazer uma média entre a comunidade internacional, pois alguns países da Europa tinham assinado um termo de cooperação da IFRS, o Brasil não estava preparado para isso. Na própria Europa, cada país tinha a sua contabilidade, e o bloco europeu se juntou para fazer o IFRS se tornar mundial. Mas eram países da Europa. E quando esse modelo chegou aqui, foi um desastre. Nós não tínhamos academias preparadas para isso, não tínhamos um corpo discente habilitado para conduzir esse cenário, e nós não tínhamos, logicamente, profissionais para lidar com toda essa mudança, então não aconteceu. Nada mudou, pelo contrário, a gente teve que se adaptar a uma realidade que nunca existiu.

☙ ☙ ☙

Essa revolução na contabilidade brasileira não aconteceu, mas ela já existia nas grandes empresas multinacionais, que eram dotadas de bons profissionais da

ALCIR GUIMARÃES

área. Então, como tive a oportunidade de trabalhar durante onze anos em duas multinacionais no Brasil, uma americana e uma japonesa, vivi tudo isso na prática, e assim passei a replicar o modelo que havia aprendido, e que estava longe de ser obsoleto, no meu novo negócio voltado para contabilidade focada em redes de supermercados.

Lembro até hoje como meu pai na época, evidentemente motivado pelo medo, ficou contrariado com a minha saída da Sojitz, pois eu tinha estabilidade e "nunca seria mandado embora". Assim como muitos profissionais do ramo, a frustração pela falta de evolução na carreira como contador no Brasil leva muitos a ficarem travados em suas posições, sentindo-se quase o tempo todo ameaçados pelo cenário trabalhista instável e consequentemente sem vontade de viver a importância da contabilidade na prática. Mas no meu caso, eu decidi não aceitar essa projeção.

Eu consigo fazer a diferença, consigo pegar uma empresa familiar e transformar numa grande empresa, era um dos meus pensamentos recorrentes. Ao analisar com bastante atenção o segmento que havia surgido em minha vida como uma oportunidade, percebi que havia muita carência na área contábil tanto de mercados como de supermercados.

"Você tem certeza de que vai entrar nisso, Alcir? Você sabe que eu nunca consegui ficar rico sendo contador, né?", disse uma vez meu pai quando eu estava prestes a abrir a Focus. Não era incomum encontrá-lo dizendo que ele não era realizado como contador. De fato, ele não conseguiu enriquecer, mas quando meu pai falava "não" para mim, já era até sinal de algo positivo, pois eu entendia que ele queria dizer sim apesar do medo dominá-lo, fazendo com que dissesse muitas vezes não.

"

O MEDO PARALISANTE NUNCA VAI COMBINAR COM O ESTILO ARROJADO QUE SE É EXIGIDO DE TODA PESSOA QUE QUER MONTAR O SEU PRÓPRIO NEGÓCIO.

"

ENCONTRE SEU FOCO

Durante toda a minha vida, segui com a certeza de que ser contador não se resumia a ser um apurador de impostos, então mesmo começando bem pequeno e num mercado que aparentemente só era visto como necessário para a contabilidade básica, montei meu próprio time já fazendo a diferença no segmento primeiro dentro de casa, ou seja, no segmento contábil, e depois estendendo para os meus clientes. Por exemplo, hoje eu tenho na Focus uma área chamada relacionamento empresarial, que é o que mede a experiência do cliente Focus, acompanhando o seu nível de satisfação. Por que implementei esse segmento na minha empresa? Porque conheci o *client service* na minha experiência anterior.

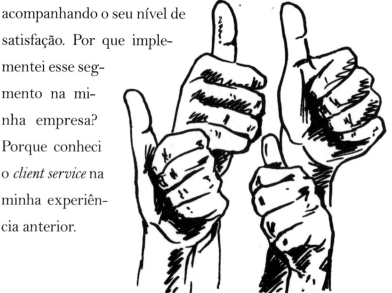

> SE VOCÊ É EXPOSTO A BOAS IDEIAS, USE-AS A SEU FAVOR, POIS ELAS PODERÃO FAZER TODA A DIFERENÇA NO SEU NEGÓCIO, DESTACANDO VOCÊ DOS DEMAIS.

Foi exatamente isso que aconteceu na Focus. Além de entregar um bom feijão com arroz na minha área, que basicamente consiste na contabilidade e na parte tributária, sempre atrelei os serviços da minha empresa a relacionamentos muito fortes, o que caiu como uma luva para suprir a carência de atenção que o segmento do varejo vinha sofrendo há tempos. Então eu montei uma estrutura e um pensamento, uma filosofia de trabalho na qual o relacionamento humano seria muito importante para fazer toda a engrenagem funcionar.

Pessoas são tudo. Como compartilhei no final do capítulo anterior, recentemente acompanhei um estudo publicado pela Harvard sobre o que os 27 maiores empresários do mundo faziam. Resumindo, sabe o que havia em comum entre eles? Praticamente todos possuíam o que você está pensando agora após chegar até aqui nesta leitura: um propósito. E a característica principal é que esse propósito era sempre ligado a pessoas.

A IMPORTÂNCIA DO PROPÓSITO LIGADO A PESSOAS

Cheguei a cursar Teologia durante um período da minha vida, e, como cristão, procuro exercitar a minha espiritualidade constantemente, além de sempre estar atento à Bíblia Sagrada. Dito isso, farei uma breve análise teológica sobre a importância das pessoas em qualquer contexto para esclarecer ainda mais a necessidade de termos um propósito que esteja ligado de alguma forma a elas. Se analisarmos os textos bíblicos, o princípio associado a pessoas sempre esteve presente de forma muito clara desde o antigo testamento. Deus quer abençoar pessoas, Ele quer levantar um povo, e sempre quis proporcionar isso para um povo no Antigo Testamento, e também formar um povo, desde uma família, com Adão, depois Noé, depois Abraão. Então, se você prestar atenção a esse fato, Deus sempre montou um povo. É muito claro que, para Deus, desde a formação de um povo, até alcançar tudo em Jesus e, de fato, consolidar não só um povo, mas o mundo, a partir da concepção cristã, tudo sempre está ligado a pessoas.

Mesmo para aqueles que não possuem um entendimento dentro da lógica cristã, afirmo que Deus não se limita apenas a quem conhece a Ele. Há várias pessoas que não conhecem a Deus, mas que têm, de alguma forma, pela graça comum intrínseca dentro dele, o desejo de alcançar pessoas e abençoá-las, por mais que prosperem financeiramente.

O dinheiro não é uma represa, é uma fonte. Nós trabalhamos e nos dedicamos para ganhar dinheiro, e sem ele, nossa capacidade para realização de certas coisas fica limitada. O dinheiro, na verdade, é o início de possibilidades, que sem ele você não consegue alcançar. Digo isso porque, quando decidi sair das empresas em que eu era funcionário, o que mais me motivou não foi a possibilidade de ganhar mais dinheiro, nem a ideia de parar de construir patrimônio financeiro para alguém. O que mais ardia no meu coração para que eu tomasse essa decisão era a possibilidade de construir uma empresa em que eu pudesse exercer a profissão que amava com leveza, coragem, prosperidade e valorização de pessoas, trilhando um caminho muito diferente do meu pai. A questão moral em querer honrar a sua memória também quando ele partiu poucos anos depois que fundei a Focus para mim foi ainda mais profunda que quaisquer outras razões.

Quase todos nós temos exemplos a nossa volta para nos espelharmos com relação à condução da vida e dos negócios. Muitas vezes nos esforçamos para imitar os passos de determinada pessoa, e outras vezes nem tanto, mas ainda nesse caso o aprendizado, quando estamos abertos a recebê-lo, sempre acontece. O meu pai foi um dos maiores exemplos de capacidade técnica que já conheci. Profundamente compenetrado e entendedor da contabilidade como ninguém. Por outro lado, em termos de liderança, não senti o mesmo entusiasmo que eu havia aprendido a empregar em minha vida, e até hoje acredito que isso contribuiu para que ele não vivesse a experiência extraordinária que é ser um contador para muito além de se apurar impostos.

O QUE NUNCA TE CONTARAM SOBRE SER UM CONTADOR

Como comentei no início deste capítulo, a contabilidade no Brasil – na realidade, a profissão de contador de forma geral – sempre foi associada basicamente à apuração de imposto. De modo algum retiro a importância de se apurar imposto, mas ser um contador está longe de ser apenas isso. Ser contador não é somente saber fazer imposto de renda de pessoa física ou jurídica. Ser contador é muito mais do que executar essas tarefas. Eu sempre acreditei que o principal foco não é exclusivamente pagar menos taxas ou só apurar impostos. Para mim, o contador é um estrategista, um verdadeiro cientista que tem os números contábeis, tributários, financeiros nas mãos para saber qual é o melhor caminho a seguir dentro de um negócio.

O economista tem a ciência econômica nas mãos, de planejamento, estruturação de princípios econômicos e tudo mais, mas o contador tem a prática dos números muito mais do que um cientista dos números. Ele é alguém que tem a prática dos números da empresa, por isso apresenta uma amplitude muito grande nesse sentido, e sendo um estrategista tanto das questões financeiras quanto tributárias, ele tem a capacidade de buscar o melhor caminho tributário de acordo com o perfil de cada empresa, visando sempre à sua saúde financeira.

O contador deve de fato mostrar para o empresário em que ponto ele está errando, onde está acertando, e qual o caminho possível para melhorar esse cenário, caso seja ruim; e se for bom, propor como ele pode melhorar ainda mais. Isso é o que fazemos na Focus, expresso em forma de planejamento financeiro personalizado, provando que cada experiência e necessidade de cliente é única. Esse aspecto foi tão crucial no desenvolvimento da minha empresa, que eu procurei me especializar num segmento, mantendo uma consciência voltada para a obrigação de entender a realidade mais ampla dos meus clientes, de acordo com a realidade prática deles no ramo de supermercados. Esse investimento na especialização fez a Focus ser hoje diferente realmente no que é enquanto empresa e no que faz.

Portanto, independentemente de qual seja o seu ramo de negócio, mantenha o foco no grande diferencial e priorize fazer como ninguém mais faz em tudo na sua vida como empresário. Exija cada vez mais de você mesmo e faça muito além da sua rotina.

Quando você busca um diferencial no que você faz, a visão deixa de ser engessada, que é um dos maiores riscos de fracasso de um negócio. Por isso, sempre faço questão de frisar que o sucesso que eu tive na contabilidade, e hoje a oportunidade que tenho de mostrar para outros empresários como organizar uma empresa de sucesso, só foi possível porque nunca limitei minha visão, o que me fez ser capaz de trabalhar na estruturação de departamentos, na montagem de um time, de ter uma visão sistematizada sobre os processos, além de entender como fazer a gestão de um todo. A visão adequada de cada processo necessário para destacar a Focus das demais empresas do segmento levou à criação de novas divisões de negócio dentro da marca, como, por

ENCONTRE SEU FOCO

exemplo, a Focus Treinamentos, que promove dezenas de cursos de formação, e a Cash de Varejo, especializada em linha de crédito e capital de giro.

Se a sua empresa presta algum tipo de serviço ou vende determinado produto, o que mais seria possível associar às suas atividades que faria o seu cliente não pensar em outra coisa que consumir apenas o que você tem a oferecer? Desde novos produtos a treinamento, é sempre fundamental que o seu negócio tenha o algo a mais para que ele seja sempre a primeira e a única opção do mercado.

A REALIDADE DE UMA MENTE VITORIOSA

Como você já deve ter percebido a essa altura do livro, o sucesso não é apenas consequência de muito conhecimento técnico e dedicação. Claro que tem tudo isso, sim, mas é muito mais fruto de uma mente de fato vitoriosa. E existe uma realidade dessa mente vitoriosa. No futebol, por exemplo, existe algo bem interessante, que é quando alguns times contratam jogadores que estão acostumados a ser campeões e eles tendem a influenciar todo o grupo com sua mentalidade vitoriosa. Basta analisar como se comportam vários atletas que acumulam muitas vitórias; às vezes eles são mais valiosos por esse currículo de conquistas que eles possuem. Então, por mais que você venha a ser muito bom tecnicamente, por mais que venha a ser absurdamente dedicado e constante, é muito importante desenvolver uma mente vitoriosa que é responsável por manter a sua postura voltada sempre para a conquista.

Uma mente vitoriosa é aquela que sabe lidar com a vitória, é uma mente que, quando o negócio vai bem ou vai mal, sabe que se trata de um momento, que é uma fase, e vai saber tirar aprendizados com esse momento, pois ele passará. Essa mente vai entender, saber ler um momento difícil como uma oportunidade de aprender mais, como uma oportunidade de se desenvolver, de melhorar, de ver novas oportunidades, de desenvolver novos negócios. Então uma mente vitoriosa, assim como num jogo de futebol, quando o time está perdendo numa final, saberá que o jogo pode virar a qualquer momento.

ENCONTRE SEU FOCO

E, ao mesmo tempo também, quando o negócio vai bem a mente vitoriosa saberá explorar mais ainda, e saberá ler melhor ainda o momento para alcançar seu máximo resultado.

Uma mente vitoriosa não vai se acomodar, e preservar essa mente, ainda utilizando o exemplo do futebol, é saber que quando o jogo está ganho, ou quando o time está ganhando, não se pode acomodar; por isso, se possível, deve-se fazer o segundo e o terceiro gol para matar logo o jogo. Uma mente vitoriosa sabe que nunca deve baixar a guarda, do contrário tende a ficar vulnerável a uma perda.

Agora, pense no contexto de guerra. Uma guerra não se conquista no momento do barulho, mas sim no silêncio. Quando seu oponente, seu inimigo está preparando algo e está em silêncio, e você acha que não tem nada acontecendo, o que acontece? Você é atacado com o elemento surpresa!

Uma mente vitoriosa fica atenta a cada um desses aspectos, por isso tudo o que fazemos sempre estará fortemente associado ao campo mental.

ALCIR GUIMARÃES

UMA MENTE FORTE EM DEUS

Você já percebeu que uma mente vitoriosa é capaz de virar o jogo. Agora, levando esse aspecto para o lado espiritual, imagine o que uma mente voltada para Deus, também denominado no cristianismo como "Todo-Poderoso" é capaz de alcançar?

Eu tenho plena convicção de que uma mente voltada para Deus tende a ser muito mais fortalecida. Porque somente Ele, de fato, é capaz de trazer essa completude que o ser humano precisa. O ser humano vive no mar de insaciabilidades, o que significa que nunca está 100% completo, e somente uma mente em Cristo, uma mente totalmente transformada e que vive essa plenitude de uma comunhão com Ele consegue ser mais vitoriosa ainda.

Se pararmos para analisar vários casos no Antigo Testamento, quando Deus estava for-

ENCONTRE SEU FOCO

mando um povo, Ele mesmo o levava à essa realidade. Quer ver um exemplo? Quando Deus falou a Josué e este herdou a responsabilidade de levar o povo por meio de uma travessia no deserto: "Sê forte e corajoso. Eu que te mandei, eu que te preparei para isso, então não temas". Ou seja, momentos difíceis virão, mas eu estarei com você.

Contudo, não são todos realmente que conseguem usufruir dessa mentalidade forte em Deus. Assim como no contexto bíblico, de dez pessoas que são chamadas para espiar a terra prometida, apenas dois (Josué e Calebe) seguiram firme adiante. Todo o restante das pessoas trouxe só as dificuldades, como, por exemplo, os gigantes que habitavam aquele local. Enquanto a maioria daquelas pessoas viu apenas a imagem do inimigo, Calebe teve uma visão diferente, voltada para as maravilhas daquela terra que emanava leite e mel. Note que Deus fala inclusive para alguém que já tinha uma mentalidade vitoriosa, porque isso é fruto de uma vida com Ele.

ALCIR GUIMARÃES

O ser humano pode tentar desenvolver essa mente vitoriosa sozinho, e pode até conseguir conquistar muitas coisas, mas quando ele entende que essa mente vitoriosa é muito mais fortalecida por uma comunhão com Deus, e que há um propósito Dele muito grande sendo estabelecido por meio de nossas vidas, em que os nossos propósitos se confundem com os Seus propósitos, literalmente ninguém segura essa mente vitoriosa em Deus.

Ao longo da minha carreira como empresário, tenho acumulado vários momentos de negociações que cheguei a acreditar que eu não conseguiria superar meus limites, mas como sempre mantive uma fé inabalável que Deus sabia o que estava na cabeça da pessoa sentada do outro lado da mesa, era impressionante como eu tinha a direção de Deus, e no final da reunião o empresário se espantava dizendo que parecia que eu estava lendo seus pensamentos.

CAPÍTULO 5

O CAMINHO DE SUCESSO DA SUA EMPRESA

Neste capítulo final, quero compartilhar com você cada princípio de valor que me levou a trilhar o caminho de sucesso tanto nos meus negócios como na minha vida pessoal. As experiências que acumulei nos últimos vinte anos me permitiram extrair o que considero de mais valioso para a estruturação de um negócio de sucesso, seja para aquele profissional contador ou para qualquer outra área de atuação no meio empresarial.

SEJA SEMPRE VOCÊ MESMO

Primeiramente, por mais que você ouça as pessoas, e aqui me refiro às mais experientes, *você nunca pode deixar de ser você mesmo*. Você tem um DNA, você tem uma noção de vida, de trabalho, de propósito, e, às vezes, ouvir as pessoas, em especial as mais maduras, e confiar em pessoas que você considera como referência é muito importante. Mas você não pode deixar de ser você mesmo. Não coloque uma máscara daquilo que você não é. Falo isso hoje com tranquilidade porque errei em alguns momentos assim, tentando me forçar a ser algo que não sou para poder agradar as pessoas.

Você tem que sempre ser você mesmo, cada vez mais amadurecendo, aprendendo, mas nunca deixando a sua essência de lado. A sua essência como ser humano. No meu entendimento, se Deus nos deu uma visão, um propósito, temos que ser nós mesmos naquilo para o qual fomos designados, para aquilo que fomos guiados a fazer. Portanto, procure alinhar a sua essência com a sua realidade de forma madura. Há uma linha tênue entre a expectativa e a realidade, e as pessoas compram o que elas veem, tanto que a ostentação vem muito dessa necessidade de aparentar algo que muitas vezes não somos em busca de admiração, respeito e aprovação. Mas à medida que vamos ajustando nossa visão, percebemos que o essencial não reside em nenhuma dessas coisas, mas sim no que de melhor cultivamos em nós para transformar não só a nossa vida como a dos outros.

Essa recomendação vale principalmente para o jovem empreendedor, que precisa de um acompanhamento e um treinamento chamado empoderamento, que é inclusive tema de uma das mentorias que ministro na Focus. Se você é um jovem empreendedor, o primeiro ponto que você deve se atentar é sobre valorizar aquilo que você conquistou. Afinal, você não caiu de paraquedas onde está, certo? Você se preparou, estudou, correu atrás, então tem que valorizar seus feitos por mais jovem que você seja. E se você já é mais maduro, digo o mesmo: você não caiu de paraquedas onde está! Portanto, mantenha esse empoderamento dentro de você.

Afirmo isso porque posso não ter toda a experiência de pessoas mais maduras do que eu, mas ralei para estar aqui, não caí de paraquedas, então tenho meu valor em estar aqui. Esse é o primeiro ponto dessa questão do empoderamento que a pessoa precisa ter para ser ela mesma, e não renunciar a quem é por causa dos outros.

LIDERE COM TEMPERANÇA

O segundo ponto que destaco entre esses princípios de valor é *saber liderar*. E aqui também vale o princípio anterior, pois você não tem que liderar para agradar as pessoas. A liderança é um conjunto de habilidades técnicas associada à essência de cada indivíduo. Além disso, é preciso entender que a opinião das pessoas, como por exemplo dos seus liderados, é muito importante, mas se você tem um propósito de trabalho, se tem um objetivo de trabalho, precisa manter uma liderança que escute, mas que também seja firme. Cuidado para não ficar oscilando muito, pois não se pode ser os dois extremos, ou seja, não pode ser aquele que ouve tudo o

que falam, mas também não pode se tornar uma ilha.

Portanto, busque aperfeiçoar suas técnicas de liderança e todas as ferramentas que o auxiliem a liderar melhor. Uma recomendação que faço no aspecto da liderança também é aprender a ouvir e passar a mapear suas fontes, para que você se atente ao que realmente importa. A isso chamo de audição seletiva, na qual damos ouvidos apenas àquelas pessoas que tocaram nosso coração. Eu faço isso sempre. Seleciono as pessoas que de fato, para mim, são idôneas de caráter, de sucesso, e verdadeiras. Considero essa prática como sendo uma das mais essenciais quando o assunto é empoderamento e liderança, para que não sejamos "marionetes do meio".

Seguindo no que foi essencial para o sucesso da minha empresa, destaco a capacidade de *ser flexível*. Antes de ter passado por uma transformação por meio do autoconhecimento, cheguei a ferir emocionalmente muitos dos meus colaboradores pela forma intransigente com a qual eu lidava com eles em certas situações. Quando não agimos com a temperança devida, as chances de surtarmos em algum ponto do processo é grande, e isso vale para todo mundo, sejam líderes ou liderados.

Pode ser que você tenha uma equipe de gestão, mas caso não, imagine que tenha uma. Numa equipe de gestão você vai ter a ânsia de que eles sejam parecidos com você, se possível, melhor do que você, pois um bom líder pensa assim; ele não tem ciúmes quando um liderado desenvolve melhor do que ele algumas coisas. Um bom líder não tem medo de que o liderado vá além, seja melhor do que ele em algumas coisas, se possível até em tudo; isso é um sonho de consumo. Contudo, quando você chega nesse ponto, automaticamente você vai passar a exigir demais das pessoas. Isso aconteceu comigo, e foi aí que eu errei bastante.

Era como se eu estivesse num ônibus, e os meus líderes estivessem comigo nele. Antes, eu achava que todos eles iriam descer no mesmo ponto de ôni-

ALCIR GUIMARÃES

bus, mas não vão; as pessoas não vão descer no mesmo ponto de ônibus que eu penso, cada um tem um ponto de ônibus, cada um tem a sua estação, cada um tem a sua forma de trabalhar, sua forma de ver a vida, sua forma de encarar a pressão. E eu errei em querer que as pessoas fossem exatamente como eu sou ou melhor do que eu, e não entender que elas têm o tempo delas, ou não entender que elas não vão render como eu espero.

Quando a gente deixa de entender que se trata de um ser humano que está ali atrás do gestor, e que o ser humano não vai ser exatamente o que queremos que ele seja, ou faça na mesma hora que queremos, e nos excedemos na cobrança, perdendo a cordialidade e o respeito, corremos um sério risco de causar danos em nossa liderança. Portanto, avalie se você não está sendo duro demais em um nível de exigência que às vezes pode ser humanamente impossível de ser alcançado.

Uma dica que dou em relação a isso é a seguinte: prefira criar metas menores para que tanto você quanto sua equipe consigam cumprir. Um alto nível de cobrança muitas vezes tem a ver com a relação pai e filho, que para mim sempre foi muito forte. Tendemos a cobrar dos nossos filhos que eles sejam quase como nós somos. Mas entenda, seu filho não vai ser como você; ele até pode ser uma versão melhorada de você mesmo, mas não espere que ele aja exatamente igual a você. Além disso, cada pessoa é única; portanto, procure reconhecer suas qualidades individuais e seja uma fonte de inspiração para seus pontos de melhoria.

DOMINE A CONSTÂNCIA E SEJA SEMPRE GRATO

O próximo princípio de valor que destaco é a constância. Ela precisa ser real. Não é fácil ser empresário no Brasil, na realidade, em qualquer lugar do mundo, mas para os brasileiros acredito que é mais difícil ainda. Então, ser constante e perseverante é uma questão de sobrevivência no mundo dos negócios. Quando você tem, primeiro, uma boa leitura de mundo, depois adapta e isenta essa visão de mundo ao que de fato você sente como propósito, você

ALCIR GUIMARÃES

desenvolverá uma capacidade muito mais ampla do que é possível fazer de maneira constante.

Entenda, você não vai trabalhar pelo que vê hoje, mas por um propósito que você acredita e assim seguirá sendo constante e perseverante diante tudo que você fizer. Por mais que esteja nos momentos bons ou nos momentos ruins. Momentos bons a gente aproveita, ganha dinheiro e cresce. Nos momentos ruins é a pressão para a expansão; você vai sofrer, vai sentir, mas sairá mais forte porque a fase boa vai voltar. É esse o ciclo da vida, no qual há o momento de estar em cima e o outro de estar embaixo, que faz uma pessoa ter sucesso. Só subimos quando já estivemos lá embaixo, e enquanto estivermos nessa fase, devemos nos preparar para subir, e então ficar na crista da onda, enriquecer, se desenvolver e até influenciar pessoas.

Portanto, toda vez que você estiver lá embaixo no ciclo da vida, lembre-se de que você nunca para de crescer, mesmo chorando continuará aprendendo e se fortalecendo para subir ainda mais forte novamente. Isso é constância. É você ser resiliente e realmente ter uma leitura fortalecida do momento que estiver passando para continuar firme no propósito que escolheu para a sua vida.

 Para alcançar esse resultado, uma recomendação que faço sempre com os meus mentoreados é que, primeiro, tenha certeza do que você faz e do que você é capaz, e em seguida seja grato. Sabe por quê? Porque quando você é grato, significa que você sabe aonde você chegou, e talvez o lugar que você ocupa agora milhões de pessoas nunca chegaram a estar. Então, por mais que você esteja em um momento não tão legal, que você não esteja vendo algumas coisas ainda, seja grato a Deus, à vida e às pessoas. E ao mesmo tempo, nessa gratidão, você irá perceber que realmente é possível. Por mais que não esteja bem hoje, é possível ir além, sim, é possível retomar, é possível reconquistar, é possível continuar.

MANTENHA SEU PROPÓSITO LIGADO A PESSOAS

Como último e um dos mais importantes princípios, senão o principal, procure manter o seu propósito sempre ligado a pessoas. Como já comentei anteriormente, sempre acreditei no desenvolvimento de pessoas. Clientes são pessoas, minha equipe é formada por pessoas. Particularmente, não gosto de taxar isso como regra, mas de modo geral o propósito de uma empresa está voltado para quem funda, quem cria a empresa, quem em primeiro lugar respira o que acredita com relação a esse propósito. Então, como a vida inteira acreditei muito em um propósito pessoal, desde a minha história na igreja em que fui membro desde os meus 16 anos, por exemplo, quando fui professor de Escola Dominical por mais de 10 anos, implantando e ministrando aulas para adolescentes, depois para jovens adultos, e em seguida liderando trabalhos missionários na igreja, sempre tive a consciência de que tudo sempre esteve voltado a pessoas, ao desenvolvimento, à dignidade e ao crescimento delas.

Inclusive, um sonho meu era dar aula em faculdade, o que acabei abrindo mão também e passei a dar aula para minha própria equipe de forma interna, como já contei aqui. Sempre defendo a seguinte verdade: "Clientes e minha equipe são pessoas e eu

ENCONTRE SEU FOCO

sempre acreditei em uma missão pessoal em minha vida, na capacidade vinda de Deus de desenvolver pessoas".

Esse tema é tão fundamental, que antes de encerrar este livro é preciso recapitulá-lo para lançar ainda mais luz sobre ele. O nosso propósito está muito ligado naquilo que nos move, que move as pessoas. Esse "dínamo", que é o que gera essa explosão dentro de nós e nos move a uma direção, considerando valores éticos, históricos, emocionais, mas que essencialmente nos coloca em movimento, é a chave para a realização plena e busca pelo sucesso. Citando mais uma vez Sinek: "As pessoas para além de comprar o que você vende, compram o porquê você vende".

Eu sempre acreditei que desenvolver pessoas fosse um propósito muito forte para mim. Eu sempre percebi que quando pessoas agem por um propósito elas de fato vão muito mais além, porque ninguém gosta realmente de fazer algo simplesmente por fazer. A Focus sempre foi marcada por ter pessoas que começaram de baixo, como estagiário, e hoje possuem cargos elevados dentro

ALCIR GUIMARÃES

da empresa. Com você também é assim? Eu sinceramente espero que seja, pois, se ainda não alcançou esse resultado, recomendo fortemente que o busque, afinal ele é uma das bases para você se manter no caminho para o sucesso da sua empresa.

CONCLUSÃO

ESQUEÇA ESSA HISTÓRIA DE FÓRMULA MÁGICA

A você que chegou até o final desta leitura, meus parabéns! Afinal as estatísticas estão aí para não nos deixar esquecer dos altos índices de desistência de leitura entre as pessoas que começam a ler um livro. Mas se você chegou até aqui é sinal de que você não faz parte desse grupo que desiste, mas sim daquele que persevera até o fim em busca de suas conquistas. E é justamente com esse tema que gostaria de encerrar esta obra.

O SUCESSO SÓ VEM COM FOCO E DISCIPLINA PARA CORRER ATRÁS DOS RESULTADOS. NÃO EXISTE FÓRMULA MÁGICA.

É isso. Não existe uma fórmula mágica para o sucesso. Para mim, é agoniante quando alguém me pergunta qual a fórmula mágica para o sucesso, porque denota uma inconsciência muito grande do indivíduo em relação à vida em si. Muitos até tentam vender essa história de fórmula mágica, mas convido você agora a pensar o seguinte: ao atribuir o sucesso do seu negócio a algo desse gênero, onde fica toda a dedicação, todo o empenho de energia, de tempo e de mente, e todo o empenho de pessoas para uma consequência chamada sucesso?

Para mim, é como se estivéssemos desmerecendo um dom que Deus me deu para alguma coisa, como, por exemplo, é o caso da minha capacidade de empreender e lidar com pessoas.

Quando buscamos algo fácil, como um atalho que promete a conquista do primeiro lugar sem esforço, estamos desmerecendo todo o desenvolvimento humano que fazemos com a gente mesmo, seja como líder, como gestor, ou enquanto equipe, que se dedicou ao máximo para conseguir realmente ser composta por profissionais melhores.

ENCONTRE SEU FOCO

Então fórmula mágica não existe. O que existe é um conjunto de elementos, que é o que eu quis trazer neste livro, destinado a todas as pessoas que se interessam por negócios, incluindo empreendedores e empresários, desde o pequeno, o médio, até o grande, para que alcancem sucesso.

Espero profundamente que este livro tenha, por meio da contabilidade – que ainda desafia o campo das profissões não tão bem quistas no Brasil – seja um divisor de águas para as gerações, tanto para a minha quanto para as próximas, de que, sim, é possível que a contabilidade mostre isso por meio de legados empresariais, assim como é a Focus. Meu intuito é que você, que generosamente se dedicou à leitura desta obra até o final, possa ter aprendido a encontrar o seu foco, a reconhecer o seu verdadeiro propósito, e ter aprendido a partir dos erros e acertos que compartilhei ao longo da minha jornada de construção da minha empresa.

ALCIR GUIMARÃES

SOBRE O AUTOR

Costumo dizer que a contabilidade nunca assumiu o posto de profissão dos sonhos no Brasil. São poucas as pessoas que verdadeiramente resolveram abraçar essa carreira, ou já desejaram alguma vez que os filhos se tornassem contadores, pois a maioria ainda não descobriu que a contabilidade serve de modelo para qualquer outro segmento, qualquer outro negócio, e atua diretamente em pontos cruciais não apenas da operação, mas na própria gestão do negócio para que ele seja bem-sucedido e próspero. Mas como entusiasta da contabilidade, estou certo de que isso é uma questão de tempo.

No meu caso, felizmente, a contabilidade esteve presente em minha vida desde que me conheço por gente, e, contrariando as estatísticas, eu sempre quis ser contador, não apenas por ser filho de contador, mas por ter me apaixonado de verdade pela área desde o primeiro momento que a conheci mais de perto, ainda com 16 anos de idade.

Agora, passados mais de 22 anos me especializando na profissão, não só me tornei contador, mas também contador-empresário, dono de múltiplos negócios, educador na área e mentor.

A contabilidade até hoje é a uma das minhas principais ferramentas para estruturar toda a minha base de produtos e serviços na Focus, a minha empresa que em 2013 começou com três pessoas e hoje emprega mais de 400 funcionários e está presente em oito estados do território nacional, figurando entre as principais redes de contabilidade para supermercados e restaurantes. Por meio da contabilidade, associada ao foco em metas, desenvolvimento de equipe, formação de time, atenção a processos, estrutura, disciplina e organização, saltei de zero a 2 mil clientes em menos de 10 anos, e ainda sigo implementando novos negócios constantemente, ministrando cursos, treinamentos e palestras tanto para profissionais do setor como para empresários e empreendedores dos mais diversos perfis e segmentos.

Hoje, posso afirmar seguramente que o ponto de virada na minha carreira se deu a partir do momento que enxerguei o ponto estratégico e fundamental de qualquer negócio: o fator humano. E ao aliar o meu propósito de vida, que é transformar a vida de outras pessoas por meio do que aprendi com a contabilidade, a uma mentalidade treinada e fé constante, transformei não apenas o futuro do meu negócio como o curso de toda a minha história.

Livros para mudar o mundo. O seu mundo.

Para conhecer os nossos próximos lançamentos
e títulos disponíveis, acesse:

🌐 www.**citadel**.com.br

f /**citadeleditora**

📷 @**citadeleditora**

🐦 @**citadeleditora**

▶ Citadel – Grupo Editorial

Para mais informações ou dúvidas sobre a obra,
entre em contato conosco por e-mail:

✉ contato@**citadel**.com.br